KB145587

'자유를 향한 사색'

빗장 인문학

Humanities Essay for Liberty

김용희 지음

맑은샘

이유

빗장 안에 갇혔다
관념과 제도, 규범과 가치관
종교의 틀에
갇힌 줄도 모르고
갇혀있다

빗장을 열면,
세상이 보인다
바람도 들어오고
과객도 들어오고
풀벌레 소리도 들어온다

저작 의도

인간은 교육이라는 이름으로
인간 스스로 본질과 한계를 축소해오지 않았을까?
규범과 제도는 과연
우리 스스로 주인 되는 것에 만족할만한 도구인가?
역사교육은 인간 본성을 이해하고 인간 세상의 지배구조를 파악하는
수단으로서 이루어졌는가?
그리고 종교라는 이름 또한 허구적 요소는 없는가?

그리고
인간 삶의 본질적 이유와 목적은 무엇인가?
인간은 '그냥 세상에 던져진 존재'인가?
결국 잠시 일다 사라지는 "참을 수 없는 가벼움"일 뿐인가?

건너뛸 수 없는 질문

간과하거나 무시할 수 없는 갈증 앞에 서지만

철학은 '철학 함'이 되어버리고

종교는 '종교 함'이 되어버리는 것처럼 보인다.

'놔 주지 않는 질문'으로의 여정에

사회는 굴려 보고, 역사는 쪼개 보면서,

놀며 쉬며 그렇게 가보자

그 과정들을 관조하며, 즐기며, 느끼며….

2018. 01

김용희

목차

제3장 역사 인문학

제4장 철학 인문학

제5장 영화 인문학

일상에 파묻혀

하루하루 지내는 한 날

그러다가 어느 날 문득

깨닫는 나이.

참으로 소중한 것은 무엇이지?

그러다가 다시

자유를 찾아

보편적 사유를 따라

이 계절에…

제1장

빗장 인문학

_ 그 남자가 사는 법 _

개미 한 마리가 저보다 두세 배는 되는 먹이 하나를 물고 하염없이 어디론가 가고 있다. 어디를 가나 궁금해서 계속 따라가 본다. 이른 아침부터 먼 거리까지 먹이 활동을 나왔나 보다. 계곡을 지나고 산을 넘어 풀숲을 만났다. 개미 처지에서는 작은 돌은 바위이고 풀잎은 나무보다 크겠지만 가장 힘든 코스가 풀숲이다. 먹이인 과자 부스러기가 풀 사이에 끼어 빠지지도 않는다. 힘에 부쳐 쉬다가 포기하려 하다가 그래도 다시 붙들고 또 하염없이 도전한다. 족히 10분은 더 관찰했지만, 주변에 개미집도 보이지 않고 가야 할 길은 너무 멀고 험난한 것 같다. 자세히 보니까 더 작은 개미들이 또 지천이다. 모두 바삐 어디들 가고 있다. 분주한 하루다. 햇볕이 따스하건, 바람이 불건, 그들은 오직 바쁘다. 저 개미는 무엇으로 살까?

돌아보면 시간은 늘 자신의 선택이 아니었다. 남들 따라 대중 속에서 살아왔고, 그래서 그 남자도 시간 속에서 자신을 잃어 왔다는 것을 늘그막에 깨달았다. 출근 시간에 쫓기고, 회사에서는 일거리가 주어지고, 그렇게 통제와 제도라는 틀은 한시도 그를 놔주지 않았다. 지각, 결근, 조퇴, 휴가. 이런 건 그 남자를 얽어매는, 자유를 저당 잡히는 한결같은 도구였다. 초등학교, 중·고등, 대학, 군대, 직장…. 그렇게 그 남자의 사는 법은 구속 안에만 있었다. 자유의 날개를 펴는 순간 그건 끝없는 추락이 되기도 한다는 것을 그 남자는 안다.

그 남자! 무엇으로 사는가?

무엇으로 살아야 하나?

고통의 미학으로? 여유와 관조로? 성실과 인내로?

희로애락으로?

사랑으로, 눈물로, 웃음으로…?

_ 거미줄에 걸린 아침 _

새벽 들길을 걷는다. 막 떠오르는 햇살에 주인 잃은 거미줄 하나 보인다. 거미줄 앞에 앉아서 그 오묘함을 본다. 어찌 이리 정교하게 건축을 할까. 거미줄이라는 것이 주변에서 흔히 보는 것이어서 대부분 자세히 보지 않고 스쳐 지나간다. 어찌 보면 익숙함에 속아 그 신비스러움을 보지 않는 것이다.

이렇게 생각해보면 어떨까, 만일 우리 손끝에서 거미줄이 나온다고 가정하면 이렇게 정교하게 방사형 구조를 만드는 것이, 사전학습도 없이 만들어 내는 것이 가능할까? 거의 불가능할 것 같다. 우선 테두리를 만들어야 한다. 세로줄을 먼저 방사형으로 만들고 또 그 중앙은 동그랗게 비워두어야 한다. 세로줄을 만드는 것도 거미 처지에서 생각해보면 참으로 어려운 작업이다. 거미는 날개가 있어 공간을 날아다닐 수 있는 것도 아닌데 어떻게 저리 세로로 줄을 쳤을까. 세로줄을 치고 나면 작업은 좀 쉬워진다. 제일 바깥 줄을 원형으로 만들고 그 줄을 타고 다니면서 안쪽으로 가로줄을 계속 만들어 가면 된다. 가로줄을 만드는 것은 더러 봤다.

거미의 머릿속엔 어떤 지식이 심겨 있어 배우지도 않은 저런 건축술을 구사할까?

거미줄이 완성되면 파리나 날벌레를 잡는다. 거미에게도 천적은 있다. 세상 구조는 심각한 먹이사슬이다. 오묘하고 정교한 건축술은 거미의 생존 전제조건으로서 꼭 필요한 작업이다. 예술 차원이 아니라 생존을 위한 절대적 기술이다. 이런 거미도 삶의 먹이사슬은 피해갈 수는 없다. 무슨 얘기를 하려고 하느냐 하면, 세상의 이치에 대해 궁리해보고자 함이다.

왕양명이란 사람이 '격물치지' 즉 사물의 이치를 탐구하다 보면 진리를, 세상의 이치를 알 수 있다는 성리학의 가르침에 따라 대나무 숲에 앉아서 일주일을 침식을 잊고 궁리하다가 쓰러지고는 내린 결론이 사물의 이치를 통해서는 세상 이치를 알 수 없다는 것이었고 때문에 심학, 마음의 학문을 연구하여 모든 것이 마음의 작용일 뿐이라고 하였다.

성리학, 양명학 어느 이론이 맞는지? 둘 다 맞는지, 둘 다 틀리는지, 아니면 아예 알 수 없는지, 진리가 있기는 한지, 그건 알 수 없다. 그러나 사물의 이치를 보면 참 오묘하다.

원효의 해골바가지 사건처럼 마음 하나 바뀐다고 세상이 바뀔까, 지구 상에 사람이 생기기 전에 이미 사물들이 먼저 있었다고 하니 마음이 먼저는 아닌 것 같다. 마음 따라 세상이 바뀌는 것도 아닌듯하다. 마음 붙들고 뭔가를 찾는 것은 극히 주관적이고 관념적인 얘기로 들린다.

물론 이렇게 이해하면 잘못 이해하는 것일 게다. 마음이 먼저가 아니고 마음이 허상을 본다는 것을 깨닫는 것 즉 정각正覺일 것이다. 실상을 보라 해서 실상사 절이 많단다. 마음의 작용 때문에 늘 허상을 보고 있다. 마음이 짓는 허상을 걷어 내면 실상이 보일까? 질투 욕심 소외감 분노 허전함 열등감 우월감 욕망…. '칠정'을 걷어 내고 '사단'으로 채우면, 희로애락 애오욕을 걷어 내고 나면 실상이 보일까? 그러나 그것까지 걷어 내면 또 무슨 재미로 사나?

여기서 멈추면 유익이 없겠다. 종교라는 것을 긍정적으로 볼 필요가 있다. 인류사에 미친 영향이 얼마나 큰가. 분명 마음의 허상은 걷어 낼 필요가 있다. 보는 것이, 느끼는 것이 허상인 것들이 많다. 특히 증오와 선호도가 그렇다. 아마도 후설이 얘기한 현상학이 어쩌면 실상학으로 보인다. 마음작용을 뺀 순수한 현상만을 보는 것. 그렇지만 마음공부 해서 '착하기만 한 사람이 되면 밥(무시당하는 사람)이 되는 것'도 인간사회다. 영국의 시민혁명, 왕당파와 의회파의 다툼은 수십만의 희생자를 내고 크롬웰의 의회파가 승리함으로써 가장 먼저 민주주의가 정착되었다. 증오는 걷어 내되 부당한 권력에는 강력히 맞서는 것이 심학이고 현상학이다.

심학의 유익은 분노와 호오의 실체를 분명히 보게 한다. 다른 곤충은 혐오감을 느끼면서 메뚜기도 번데기도 곤충인데 잘 먹는다.

이제 '관념론'을 떠나 과학적 추론법인 '진화론'으로 가보자. 거미의 행동이 과연 진화의 결과일까? 그렇다면 맨 처음의 거미는 어찌 저런 집을 지을 생각을 했을까? 그것도 이치에 잘 맞지 않는 것 같다. 그렇다면 눈치챘겠지만, 창조론이 맞을까? 거미도 참새도 잠자리도 뚝딱 창조한 결과물일까? '있으라'고 하니까 해도 달도 생겨난 것일까? (물론 이건 지극히 인간적 해석이다 '뚝딱'이란 의미도 시간의 개념이 포함된 것인데 창조주 하나님에게 시간의 의미는 인간과 다르리라. 그래서 글과 말은 늘 정체와 실체를 그대로 표현하지 못한다. 3차원 언어로 9차원을 말할 수는 없는 것. 이건 너무 많은 포스트모더니즘postmodernism 철학자들이 말했다. 비트겐슈타인, 라캉…. 구조주의, 해체주의 철학자 거의 모두가 해당할 정도로) 창조론이 부정된다고 기독교가 부정되는 것도, 이해된다고 기독교가 긍정되는 것도 물론 아니다. 그건 교리 혹은 창세기 내용일 뿐, 예수를 믿는 것은 그의 사랑과 희생을 믿는 것이다. 나의 현실적 필요와 영생을 위해서 기복적 의도에서 믿는 것도 물론 인간이기에 필요하지만, 원래 종교의 속성과 출발점이 그것(사랑과 희생) 아닌가. 인간의 한계에 대한 인식, 그렇다 하더라도 그 시점에 머물면 얇다.

오강남 교수가 늘 말하는 표층 종교이다. 하나님 안에서 나를 버리는 것, 내 이기심의 확장이 아니라 이기심의 축소 내지는 소멸이 종교의 본질이다. 몸 바쳐 인류를 구원한 예수처럼, 물론 이렇게 생각하면 머리로 믿는 것에 그칠 가능성이 크다. 깊은 묵상과 기도 속에 늘 보혜사 성령 하나님이 나의 깊은 곳에서 함께 하심을 깨닫고 감사하게 되는 것, 그 수준까지 영적인 눈으로 도달해야 지식이 아니고 신앙이 된단다.

그렇다고 도그마라는 의미가 기독교를 의미하듯 유일함, 독선, 이런 측면이 강조되어서는 곤란하다. 그건 어쩌면 유대인의 역사요 설화요, 그 유대인들은 예수를 믿지도 않는다. 기도와 묵상 중에 내면 깊은 데서 들리는 음성, 그건 타 종교에도 존재하는 보편적인 것이다. 보편적 종교로서의 기독교, 이 수준이 심층 종교, 함석헌의 씨알소리와 강원용 목사의 신앙일지도 모르겠다.

다시 거미줄로 가보자. 알 수도 없는 우주의 오묘함, 그걸 누가 안다고 할까? 격물치지의 성리학도, 마음 밝히는 양명학 불교학도, 창조론도 진화론도 모두 알 수는 없다. 아침 햇살이 퍼진다. 이슬 머금은 주인 잃은 거미줄에 햇볕이 더욱 하얗게 반사된다. 줄 하나하나에 햇빛이 부딪혀 부서진다.

어디 거미줄의 신비뿐이랴. 개미집은, 벌집은…. 사실은 거미줄 정도의 신비야 극히 일부분일 뿐, 인체의 신비, 행성들의 움직임, 그 어떤 위대한 힘이 있어 지구를 자전시키고 달은 그 어떤 힘이 있어 지구 주변 정확한 시차로 돌게 하며, 또 그 지구는 태양 주변을 돌게 했을까. 이 행성들을 돌게 하려면 얼마만큼의 힘이 작용해야 할까. 미세한 세계로 가면 바늘 끝에 묻어있는 수천 개의 균은 어쩌고, 무채색 햇볕이 무지개를 만드는 현상은 어쩌고.

우리는 늘 경이로움 속에서 산다. 알려고 하는 것 자체가 우스울

만큼…. 그저 경외감뿐이다. 다만 느끼고 즐길 뿐, 그리고 감사할 뿐.

한 늙은 사제가 말했다. 우리에게 종교에 대해 말씀해주세요. 그가 말했다. 제가 오늘 종교 말고 다른 무엇을 말했던가요? 모든 행위 모든 사색이 종교 아닌가요? 손으로 돌을 다듬고 베틀로 옷감을 짜고 있는 동안에도 영혼 속에서 솟아오르는 경이로움과 놀라움, 그것 역시 종교 아닌가요?~

또한 예배를 열었다 닫았다 하는 창문처럼 여기는 사람은 자신의 영혼의 집, 새벽에서 새벽까지 창문이 열려있는 그 집에 아직 가보지 못한 것입니다. 그대들의 나날의 삶이 그대들의 사원이며 그대들의 종교입니다.

신을 알고자 한다면 수수께끼를 풀려는 사람처럼 되지 않아야 합니다. 그러면 신께서 그대의 아이들과 놀고 있는 것을 보게 될 것입니다.

칼릴 지브란 〈예언자 중, '종교에 대하여'〉

_ 뷰티풀 라이프 _

대학로 모 극장에서 공연되는 연극『뷰티풀 라이프』, 연극은 끝에서 처음으로, 노부부로 시작해서 풋풋한 첫사랑으로 시간을 거슬러 올라간다.

코믹한 남자의 농담은 처음부터 끝까지 이어진다. 평생 웃게 해주겠다는 남자의 프로포즈는 물론 관객에게 재미를 주고 순간순간 웃음을 자아내려는 의도도 있겠지만, 삶은 힘겹고 고단한 과정임을, 실없는 농담을 통해서라도 메마르고 퍽퍽한 실존적 삶의 무게를 조금이라도 덜어내야만 한다는, 그리고 '그게 사는 것' 이란 메시지를 숨기고 있는 것 같아 농담 속에 오히려 진한 애잔함이 전달된다.

일반적인 부부간의 관계, 처음은 불같이 시작되었으나 살아가는 과정에서 때로는 지구촌의 반대에 서 있는 듯한 서로의 바라보기, 하나 같으면서도 아득히 먼 타인의 관계는 잠시라도 멈추면 탈락할 것 같은 힘겨운 '살아냄의 과업' 앞에서 인간에게 주어진 어쩔 수 없는 숙명인지도 모를 일이다. 내 한 몸이 지치고 힘들기에 비록 부부간, '너의 것, 나의 것'이라 맹세한 사이에도 건널 수 없는 강이 되고 무거움이 되는 '살아내기' 말이다

이 연극은 '어느 60대 노부부의 이야기'를 읊조린 김광석의 노래를 연상시킨다. 물론 주제 음악은 최백호의 '낭만에 대하여'지만, 잃어버린 것에 대하여 다시 쓰는 편지 같은 연극은 늙음에서 젊음으로 진행되어 객석에 생기를 넣고 있다. 퇴근 후 리모컨이나 붙들고 부인(순옥) 얼굴 한 번 바라보지 않는 남편(춘식), 처가 한번 온전히 진심으로 가지 않지만, 낚시에는 목숨 거는 남편, 한 번도 마음으로 바라보지 않는 남편의 무신경에 지쳐가는 아내, 인내의 끝에서 부인은 이혼 얘기를 꺼내 들고 그제야 현실을 깨달아 가는 남편, 급기야 무신경 속에 부인의 삶이 나락으로 떨어지고 있었음을 발견한 그. 부인의 헌신과 수고는 공기나 물처럼 당연함으로 여기던 그의 삶에 폭발적인 충격이 온 것이다.

작은 질투와 산다는 길에서의 일상적인 어려움은 삶의 위기 앞에서 어쩌면 그것들이 사치였음을 깨닫고 이제 연극은 진실한, 서로 바라보기로 반전되어간다. 부인의 보이지 않는 존재 이유를 양말 한 짝 찾아 신지 못하는 남편들이 한 번쯤 다시 되짚어 볼 수 있는 연극, 되짚어 보게 만드는 연극이다.

이리로 저리로 이탈할 듯 말 듯하던 남녀의 관계는 '잃어버린 것'들 혹은 '낭만에 대하여' 다시 삶을 조명함으로써 드디어 정상궤도로 화들짝 돌아오는 듯하다. 최소 연극이 공연되는 시간 동안은 그러하리라.

감사 혹은 사랑이란 그것을 잃어본 사람만이 절절히 느낄 수 있는 '그 어떤 감정'이다. 드라마 연극 이런 콘텐츠들의 효용은, 시와 소설과 뮤지컬의 효능은 우리에게 이런 진실을 끊임없이 되새기게 한다. 그것이 예술과 문학의 힘이며 존재해야만 할 이유이리라.

월요 회의에서 옆에 앉은 60대 교수가 느닷없이 "행복하시냐?" 고 묻는다. 그냥 웃었다. 그 행복이라는 단어에 묻힌 수많은 의미를 어찌 웃음 아닌 것으로 표현할 수 있으랴. 행복하냐고 묻는 것은 '나는 지금 행복하지 않다'는 의미로도 충분히 해석된다. 해서 또 삶은 늘 '그런 것'이 되어버린다. 연극으로 위로받고, 일로서 잊어버리고, 신앙으로 위안받기에는 우리의 삶이 어쩌면 너무 실존적인지도 모르겠다. 강아지의 죽음과 별똥별의 떨어짐에 며칠 동안 잠도 식욕도 잃은 것이 이유가 되어 인문학자가 되었다는 어느 유명 교수의 자기 고백이 또 그 어떤 누구의 고백이기 되기도 하는 것이 지금 행복하냐는 질문의 내용 중 하나가 아니던가?

행복? 그건 수시로 찾아오는, 그러나 아주 먼 '그 무엇'이다. 아이가 웃을 때, 여명이 밝아 올 때, 노을이 질 때, 한 송이 꽃이 피어날 때…. 우리는 행복하지 않을 수 없다. 그러나 그 꽃도 생존의 무한 경쟁에 살아남은 결과이다. 산다는 것의 과업은 각자의 주머니에 외로움을 감추고 가을날 도로를 구르는 낙엽을 바라보며 달빛이 포도 위에 내리는 길에서 갈 곳 몰라 서성이다가, 또 삶의 현장에서는 투쟁과 경쟁과 시기와 질투, 밀려나지 않으려는 안간힘, 그런 것들의 집합이기도 하다.

뷰티풀 라이프!

이 연극이 말하고자 하는 것은, 전하고자 하는 것은 허세나 너스레만이 아니다. 가족 간의 작은 불협화음과 부부간 강 건너의 거리감도 끝내 깊은 사랑의 강이 있어, "당신보다 하루만 더 살겠다"는 부인을 보살피는 남편의 바위 같은 애정이 있어, 비록 그 삶과 삶들이 가냘픈 풀잎 같을지라도 더 아름다울 수 있다는 이야기 아닐까? 인간은 사랑이 아니면 그 무엇도 아닐지도 모를 일이다. 실없는 농담도 결국은 사랑의 또 다른 표현이었다면 삶은 아름다울 수 있다.

관객은 부인을 업고 퇴장하는 그 남자의 어깨에서 다시 고독과 사랑을, 그 깊고 깊은 삶의 의미를 다시 되새긴다. 슬픔과 고통 기쁨과 소망, 그 모든 것들이 어우러져 있어도 삶은 아름답다고, 그래서 뷰티풀 라이프라고….

_ 거짓과 우상 _

경험론자 베이컨은 '4가지 우상偶像, Idola'을 얘기했다. 시장의 우상, 종족의 우상 등이다. 우상임을 깨닫는 것, 허상을 걷어내는 것, 거짓을 밝히는 것, 그것이 실상이요, 진실이요, 진리의 발견이다.

거짓과 우상이란 무엇인가? 인간은 그것을 어떻게 알 수 있는가? 아마도 가장 유용한 도구가 '이성'일 게다.

인간의 이성과 지성, 논리적 추론…. 이 도구를 통해서 과학을 발전시키고 우주탄생의 비밀까지 밝혀낸다. 과학은 논리적 학문이므로 가설과 검정의 과정을 거쳐 이론이 없다. 그렇지만 사회학은 거짓, 진실을 밝혀내기가 쉽지 않고 밝혀냈다고 하더라도 그것을 해석하는 것이 또 난제다. 우선 거짓을 밝히기 위해서는 사실을 발견하는 것이 가정 먼저다, '역사는 관점'이라지만 사실부터 밝히고 난 다음부터 관점과 해석을 논해야 한다.

그리고 이런 물리학적 사회학적 차원이 아닌, 이해할 수 없는 차원의 것은 종교의 차원, 초월의 차원, 누멘Numen의 차원까지 미루어 놓는 것, 그것이 가장 합리적인 추론의 과정 '거짓과 우상'을 제거하는 과정일 것이다. 물론 합리적이라는 단어는 누멘적 차원에서 적용하기는 어렵다. 종교는 이해의 차원, 이성의 차원을 넘어선 것이다.

그러나 사실을 확인하지도 않고, 사실에 근거하지도 않고 해석부터 하거나 초월적 사건으로 확대하면 그것이 곧 '거짓과 우상'의 시작이 된다. 그래서 역사가 중요하고, 역사에서는 사실적 접근을 위해 사료, 자료, 문헌…. 이런 것들이 중요하다.

사실을 은폐하기 위한 시도는 무수히 집요하게 진행된다. 자료폐기부터 증인조작까지, 그래서 선진국에서 가장 큰 범죄는 자료폐기 범죄다. 고속도로 진입 티켓을 잃어버리면 가장 먼 거리에서 진입한 것으로 가정하고 도로사용료를 부과한다. 우리도 자료폐기범죄는 그렇게 다스리는 것이 합리적이다. 역사의 왜곡은 은폐와 거짓으로부터 출발한다.

그럼 우상은 뭔가? 그것은 허구를 믿는 것이다. 사실을 확인하지도 않고, 혹은 사실을 왜곡하여…. 관우나 노자도 신으로 모셔지기도 한다. 그건 그렇게 사회화되었을 뿐, 인간의 보편적 심리가 그렇게 허구를 만들었고 그것이 허구인 줄 알면서도 일반적으로 용인되는 수준이다. 이런 것은 차라리 순진하다.

'거짓'이 역사적 사건, 사회적 사건에 대한 것이라면 '우상'은 종교나 신에 관한 접근법과 관련된 것이다. 그것은 증명되거나 밝혀지는 것도 아니다. 따라서 우상임을 밝혀내는 것은 더 어렵다. 우상이 되면 맹신이 뒤고 맹목적이 되고, 이성적 논리적 잣대를 들이대지도 않는다. 거짓과 우상의 차이는 무엇일까? 아마도 거짓이 심화하여 종교적 차원으로까지 승화되면 우상이 되리라. 만일 거짓과 우상이 일반화된 사회라면 우린 '무엇으로 사는가?' 그래서 늘 갈증을 느끼는 대상은 '실상과 진실'이다. 그것을 추구하는 것은 사람에게 부여된 특권이다.

역사는 밝혀져야 하고 그것도 사실에 입각해서 진행되어야 한다. 그리고 이렇게 밝혀진 역사는 반드시 기록되고 보존되고 읽혀야 한다. 진실을 은폐하기 위한 다양한 시도들은 모두 진실과 거짓, 허상과 우상의 길목에 널브러진 쓰레기 잔해들이다.

"기억하지 않는 역사는 언제라도 되풀이된다." 청산되지 않는 과거는 늘 현재를 발목 잡는다.

『파도』는 캘리포니아 어느 고등학교 역사수업에서 벌어진 일을 각색한 소설이다. 독일 출신 작가에 의해 저술되었고 1980년 후반부터 독일 청소년의 필독서가 되었다.

"너희는 저 히틀러 소년단과 별로 다를 바가 없었던 거야, 평등한 세상을 위해서 저런 제복도 입었을 테고 높이 팔을 올리며 '하이 히틀러'도 크게 외쳤을 거야, 같은 편이 아닌 친구들은 감옥이나 수용소로 보냈겠지, 그런 일은 없을 거라고?

역사상 벌어진 일이 다시 일어나지는 않는다고 생각했지만 우리는 정작 저들과 얼마나 다르게 행동했는지 한번 생각해보자"

『파도』는 독일에서는 세대를 막론하고 파시즘을 옹호할 여지가 있는 단어는 아예 혀끝에 올려서도 안 된다는 암묵적인 원칙을 만들었다.

2008년 4월 친일인명사전에 수록될 인물 4,776명이 공개됐다. "을사늑약 전후부터 1945년 8월 15일 해방에 이르기까지 일본 제국주의의 국권 침탈과 식민통치, 그리고 침략 전쟁에 적극적으로 협력해 우리 민족과 다른 민족에게 피해를 끼친 자"라는 기준에 따라 선정된 인물들이다. 150여 명의 전문가가 2001년부터 무려 7년 가까이 걸려서 작업했다. 이 작업은 민간기구인 민족문제연구소와 친일인명사전 편찬위원회가 국민 성금으로 이뤄냈다. 이 작업은 국가에서 해야 했다. 그러나 정치권, 재계, 언론계를 주도하는 친일계의 후손들 때문인지 이루어지지 못했다. 2002년 국민의 정부는 기초조사에 필요한 최소한의 예산(2억 원)지원을 계획했으나, 국회는 모두 삭감했다. 일제의 강점과 이에 동조한 세력은 한반도의 분단과 전쟁을 초래했고, 그 이후 청산되지 않은 과거는 계속되고 있다.

_ 사람의 사랑법 _

여자가 울고 있다. 어느 처자의 참을 수 없는 눈물이 보는 이들의 진한 감정을 일게 한다. 여자는 남자에 대해 한없이 애틋한 눈길을 보내는데 남자는 다른 곳(?)만을 쳐다본다. 그 서러움과 좌절감에 "왜 눈물이 그치지 않느냐"고 넋두리하며 여자는 눈물을 쏟아내고 있다.

'사랑 참 아프다.' 이런 아픈 사랑 피해갈 수 있으면 좋으련만, 피할 수도 없다. 삶을 피할 수 없듯이, 사랑도 피할 수는 없다. 사랑하면서 아프지 않을 수 있으면 좋으련만, 사랑하면서 아프지 않을 수는 없다. 사랑을 얻지 못해 아프고, 사랑을 얻고 난 후에는 그 사랑을 잃을까 봐 조바심하며 아프다. 그 사랑도 시간이 지나면 이제 권태기로 아프고, 의무감으로 아프다.

인류 역사상 가장 강하고 큰 주제가 되어온 것, 남녀의 애정과 성性은 무엇일까. 왜 사춘기, 아니 모든 인간이 늘 이성을 그리워하고 상사병이 걸리며 역사와 문화 속에서 항상 이성 간의 사랑과 연애가 노래가 되고 시가 되며, 또 나아가 화근이 되기도 했을까? 연애와 섹스는 왜 영원한 인류사의 주제가 되어 왔을까?

섹스의 의미는 2400년 전 그리스 신화 중 아테네의 희극작가 아리스토스파네스Aristophanes(B.C 448-380)의 이야기에 근거한다. 인간은 원래 양성동물이었다. 그러나 양성동물은 능력이 너무 출중하여 신에게 도전하므로 이를 문제시 삼은 신들이 인간을 암수로 갈라놓았다. 그래서 섹스의 의미는 라틴어 동사형 'secare', 명사형 'sesus(to cut)'로 '나누다'라는 의미다. 원래 하나였던 것이 둘로 나뉘었으니 나머지 반쪽을 찾기 위해 그렇게들 늘 야단법석(?)인가 보다. 나머지 반쪽을 찾아서 온전해지려는 것, 그것이 연애의 동기이며 섹스의 이유다.

성의 본질에 관한 또 다른 설명이 있다. 우리가 상대를 안다고 할 때 영어로 know로 표현한다. 그런데 know의 어원은 히브리어로 'yada'이며 이는 단순한 지식적 앎을 넘어 화학적인 연합, 동침을 의미한다. 진정한 앎은 아담과 아내 하와의 '동침'을 의미하는 것이다.

『사랑과 연애의 달인, 호모 에로스』에 나타난 이성 간의 사랑에 대한 진단을 보면 늘 새로운 이성을 찾아다니는 그런 본능적 동물적(?) 사랑은 사랑이란 환상에 끌려다닌 결과일 뿐, 즉 통속적 드라마에 지치지 않고 등장하는 대중적 피상적 사랑 놀음일 뿐, 그런 사랑은 시효가 지나면 또 다른 상대를 찾게 된단다. 그런 종류의 사랑 놀음으로는 지속적이고 깊은 에로스의 참 본질에 접근하지 못한단다. 그가 제시하는 '달인 사랑법'은 '사랑도 공부합시다'다. 사랑이란 표현 한 번 들먹거리지 않더라도 다양한 분야에 대해 연속적으로 나누는 공감대, 우정처럼 뜨겁지는 않지만 은근하고 속 깊은 배려가 눈처럼 쌓일 때, 이성적이고 감정적일 뿐인 남녀 간의 이성적 한계를 넘어설 수 있다고 진단하고 있는 듯하다.

사랑의 감정, 이성으로서의 이끌림은 유효기간이 길어야 2년이라는데 그 이후의 관계유지에 대해서는 답안지가 별도로 없다. 2040년쯤이면 결혼제도가 없어질 것이라는 어느 미래학자의 예측이 있었다. 모 국가의 총리, 유명한 축구 감독, 모두 여자 친구와 동행한다. 부인이 아니라 여자 친구이다. 중국 윈난雲南성의 모쒀족은 모계사회 풍습을 유지한다. 집안에 아버지가 없다. 아버지가 담당해야 할 역할을 삼촌이 담당한다. 여성은 마음에 드는 남성이 있으면 밤에 집으로 초청하고, 그러다가 사랑이 식으면 서로 소위 '쿨'하게 헤어진다. 결혼이 없으니 이혼도 없다. 이렇게 두 남녀가 각자 자기 어머니의 집에서 살면서 밤에만 만나는 일종의 혼인을 쩌우훈走婚 또는 야샤혼이라고 부른다. 사실 지금 우리 사회를 신 모계사회라 부르기도 한다.

처가살이는 3배로 증가하고 시집살이는 반으로 줄었다. 여자는 염색체는 XY, 남자의 염색체는 XX, 염색체 복제시대가 되면 남자는 필요도 없다. 모계사회에서는 가장은 여자가 된다. 당연히 성씨도 여자의 성을 따라야 한다. 사실 부계사회는 인류역사상 잠시 지속된 제도란다. 늘 모계사회였다. 남자! 인류탄생 역사 후 늘 곁절이였을 뿐, 그래서 이미 장가든 남자들은 행운아(?)다.

부부간의 사랑은 부인이 친정 나들이를 갔을 때, 부인이 늘 입던 평상복이 옷걸이에 걸어진 것을 바라보는 느낌이란다. 짝이 잠시 출타 중일 때 느끼는 허전함, 텅 비어버린 듯한 느낌, 그것이 중·장년, 노년의 짝에 대한 감정이란다. 백년해로하여 서로 의지하며 같이 바라보며 늘어가는 주름살을, 그 아픔과 고통과 함께한 환희의 순간들이 베여있는 세월의 깊이를, 그 애잔한 주름살을 같이 바라보는 것이 노년의 사랑이다.

부부간 사랑이란 오랜 시간 상대와 가족을 위해 긴 수고와 자신에게 나누어준 한결같은 애정 등에 대해 감사와 연민, 그리고 그 수고로움에 대한 습관화된 배려 같은 것 아닐까. 이성적 감정은 생물학적 본성으로 보더라도 이미 오래전 당연히 사라졌지만 마주하면 느끼는 편안함, 마주 잡은 손에서 설렘으로 전해지는 것이 아니라 따스함이 전해오는 그런 것이다. 사랑! 그건 상대방에게 깊은 신의와 배려 그것 이상도 이하도 아니다. 난 지금의 짝지를 과연 사랑하고 있는 것일까?

이성적 끌림의 수준을 넘어서지 못하면 부부간의 사랑은 난제가 된다. 마주 보면 무촌이고 돌아누우면 완전히 남인 것이 부부관계라는데 사랑은 부부간에 풀어가야 할 숙제요 과제가 된다. 20~30년을 같이 지내도 늘 불안정한 부부관계! 같이 있으면 힘겹고, 그렇다고 나눠버리면 외롭다. 힘겹거나 외롭거나 중 하나를 선택해야 한다. 부부관계, 외롭지 않으려면 괴로울 각오를 해야 한다. 괴롭지 않으려면 외로울 각오를 해야 한다. 단 이성적 끌림의 수준을 이미 넘어서서 황혼의 동반자가 된 분들은 제외하고….

＿ 늙어가기 ＿

까마득하여 절대 오지 않을 것 같던 나이가 차창 밖 가로수처럼 휙 지나갔다. 그러나 아직도 생각은, 의식은, 꿈은 아이 같다. 아직 세상을 살지 않은, 이제 꼭 시작하려는, 뭔가 기대되고, 처음 시작하는 것 같고, 뭔가 새로운 일이 일어날 것 같은….

어느 날 문득 잠에서 깨어 낼 모래가 환갑이라 생각하니 전혀 실감이 나지 않았다. 추수도 시작하지 않았는데 벌써 해가 저무는 양 그랬다. 육십이 넘으면서 바뀐 것 몇 가지 있긴 하다. 안되면 쉽게 포기하는 것, 내일을 살지 않고 오늘을 사는 것, 기억력이 엄청나게 약해진다는 것, 기력이 더 쇠잔해진다는 것, 눈물이 많아진다는 것, 꽃이 예쁘게 보이기 시작했다는 것, 텔레비전에 별로 볼 게 없어진다는 것, 세상 내 맘대로 안된다는 걸 안다는 것, 뭐든 자신이 없어진다는 것, 설렘도 기대도 이젠 줄어들었다는 것.

나이 들어서 옛 친구나 지인들을 만나는 이유가 무엇일까? 오랜 우정을 되새기고 추억에 잠기며 이제는 흘러가 버린 아련한 향수를 그들의 모습에서 다시 찾아보려는 것일까? 혹은 그날이 그날 같은 하루하루에 다소나마 작은 변화라도 기대하는 작은 설렘 같은 것일까.

그러나 대부분 모임의 분위기는 각자 실타래 같은 과거의 삶을 풀어놓거나, 지금까지 자신이 쌓은 것을 전리품처럼 늘어놓거나 혹은 굳어져 가는 자아의 관념적 틀을 독백처럼 외쳐대는 것이다. 자식 자랑, 재산자랑, 과거의 권위자랑 혹은 더 나아가 세상에 대한 자기방어적 분노, 이렇게 빈 소리만 추수 끝난 들판에 남은 겨처럼 풀어놓는다. 그렇게 쉼 없이 떠들어 대다가, 그렇게 싸인 내면의 찌꺼기를 흩어놓다가, 그것을 주워담고 또 담아주고 되돌아오는 길은 늘 허전하다. 육체가 무거워지듯이 삶은 점점 더 무거워진다.

비록 몸은 늙어가도 그 인품과 마음 씀씀이에는 향기가 나는 사람, 헤어지고 난 다음 그 사람의 여운이 길게 남는 사람, 지혜와 겸손이 날로 깊어지는 사람, 세월의 무정함에 홀로 깊은 고독을 씹다가 결국에는 그 고독을 삼켜버려 국화꽃 향기가 나는 사람, 이런 분들을 만나면 익어가는 향기를 확인하고, 깊어져 가는 상대의 눈길에 깊은 편안함을 느끼기도 한다.

늙어가는 길에서의 '만남'이란 이 두 가지로 분류되는 듯하다. 전자의 경우라면 만남은 피곤을 더 할 뿐이고, 후자의 경우라면 그야말로 젊음에는 없는 '노년의 향기와 특권'을 확인하는 기회가 되는 듯하다. 노년의 길은 요약하라면 '자아의 감옥'으로 더 깊이 들어가거나 '자아에서 해방'되는 가의 문제이다. 즉 자아의 감옥에 더 두꺼운 벽을 쌓는 길이냐, 혹은 자아라는 감옥으로부터 탈출의 길이냐의 문제이겠다.

스토아학파라 불리는 로마의 철학자 키케로Marcus Tullius Cicero의 '노년에 대하여'에는 노년의 아름다움이란 늘 따라붙던 욕망의 늪을 지나 지혜의 언덕에 다다른 열매 맺은 노년을 말하고 있다. "나이가 들면 지갑은 열고 입은 닫아라."라는 말은 명언 중의 명언이다. 아무리 곱씹어도 그 의미가 더욱 짙어져 가는 노년 삶의 황금률이다. '자아의식의 확대'가 아니라 '자아로부터의 해방'으로 나아갈 수만 있다면 그것은 분명 '늙어가는 것'이 아니라 '익어가는 것'이 틀림없으리라.

늙어가면서 아이가 되어도 좋겠다. 다만 욕심내지 않는 아이, 그냥 눈망울만 초롱초롱한 아이가 되었으면 좋겠다. 마음의 거울을 닦아서 상대방이 훤히 비치는 아이가 되었으면 좋겠다. 겨울날 빈 가지에서도 내년의 새싹을 볼 줄 아는, 만물이 서로 연기되어 있음을, 모든 존재는 사랑의 결과임을 알 수 있는 아이가 되었으면 좋겠다, 아무것도 모르는 '바보 추기경' 같은 아이가 되었으면 좋겠다. 스치는 바람 속에 님의 숨결이 숨어 있음을 아는 아이가 되었으면 좋겠다. 세상 것 잘 모르는, 이해관계 잘 모르는, 셈할 줄도 모르는 아이가 되었으면 좋겠다.

— 텔레비전을 보는 이유 —

소설이라는 것이 그렇듯 텔레비전도 간접경험을 하게 한다. 시골집을 빌려서 유명 연예인들이 생활을 같이 생활하는 어느 프로를 거의 한 시간 동안 봤다. 그리고 왜 이런 프로를 보는지를 알 것 같다. 이런 류의 프로그램은 시청자도 그 출연자들과 같이 여행을 하거나 시골집에서 그들과 함께하고 있다는 착각을 하게 한다. 그들이 바다에서 수영하고 낚시를 하고 바닷속 물고기들을 볼 때, 그리고 해변의 아름다운 경치를 보며 자전거 하이킹을 하면 자신도 그들과 함께하고 있다는 착각을 하게 된다. 그리고 이런 프로는 절대 혼자 있는 것을 방송하지 않는다. 부처님 오신 날 특집 빼고는 늘 사람들 속이다.

〈나는 자연인이다〉라는 프로그램도 산속 혹은 무인도에 홀로 사는 이들을 누군가는 찾아가서 함께하는 모습을 찍지 혼자 사는 모습만 무인카메라로 찍지 않는다. 그러면 시청자는 곧 채널을 돌려버릴 것이다. 그래서 사람들은 텔레비전을 혼자 보면서도 여럿이 같이 있다는 착각을 하고, 그래서 외롭고 고독한 것을 잊는다. 이것이 여러 사람이 같이 재미있게 놀 때는 텔레비전을 보지 않는 이유다. 물론 매우 시청률이 놓은 일부 연속극을 제외하고는.

편안히 누워 그들 속에 함께 하는 이런 간접경험은 시청자를 가상현실 혹은 관념 속의 세상으로 데려간다. 즉 이미 가상현실은 미래의 사건이 아니라 지금 경험하고 있는 사건이 되는 것이다.

바다 내음은 맡지는 못하였지만, 텔레비전을 보면서 오지를 가고, 아늑한 바닷길을 가고, 그림 같은 언덕 위의 목장을 간다. 염소를 키우고 젖을 짜고 소라를 줍고, 그리고 동네 노인분들과도 어울린다. 그러나 어찌 보면 얼마나 슬픈 일인가? 오로지 시각을 통해서만 오감을 느낀다. 만져보지 못하고 향기 없이 시각과 청각만 살아있는 절름발이 불구의 시간이다. 출연자들이 해변을 걸을 때 볼에 스치는 바람, 파도 소리, 기러기의 울음소리 등 현실감 있게 직접 느낄 수는 없다.

이런 드라마가 있다. 〈품위 있는 그녀〉, 통속적인 주제인데도 시청자를 텔레비전 앞에 머물게 한다. 수백억대 사기로 돈을 번 여인이 돈이면 행복할 줄 알았는데 이혼당하고 돈까지 잃은 그 댁 막내며느리를 부러워한다. "행복은 돈으로 사는 것이 아니었다."라고 탄식해 하면서, 그러나 그건 프로그램의 숨겨진 의도 내지는 꾐 아닐까? 텔레비전을 보는 다수가 서민이니까, 드라마에서 재벌이 우수하고 가정적이며 세련되고, 그렇게 모두 완비하고 사는 것으로 묘사되는 것을 한 번도 본 적이 없다. 그렇게 하면 시청자를 패배감에 젖게 하므로 시청률이 떨어진다. 기획자가 스스로 실패하는 기획을 할 리가 없다. 해서 본 드라마도 서민들이 자신들의 삶을, 애환을 자위하면서 가련한 만족의 착각에 빠지게 하는, 시청률을 목표로 한 사기극(?)일 수 있다. 극중 대사가 그렇다. "감상이라는 것, 그것은 패자들이 스스로 위로하기 위해 만들어 낸 가식"이라고, 그렇게라도 심리적 만족을 얻고 싶은 것"이라고. 실수인지 의도인지 이런 대사를 내보낸다. 그런데 그게 진실이다.

그러면서 히등 서민(하등동물처럼)과 상류층을 숙명적으로 무의식중에 대비시킨다. "돈이 많아도 당신들은 절대 상류층이 되지 못한다. 상류층은 나름대로 품위와 격식이 있다. 따라 하려고 하지 마라, 숙명이다." 사회를 브라만 계급처럼, 신라 성골 진골처럼, 지금 북한의 백두혈통처럼 신분으로 유전자로 나눈다. 물론 그것도 틀린 말은 아니다. 수박씨도 좋은 것이 있으니까. 좋은 씨를 받아야 내년에 더 좋은 수박이 열리니까.

이 프로그램에서는 셋째 며느리가 백두혈통(?)이다. 남편이 바람을 피워도 극복해내고 디자인 감각이 탁월해서 개인사업으로 성공을 일궈낸다. 본 프로그램은 뱁새가 황새 따르려다가 결국 가랑이 찢어지는 것이 결말이다.

이 프로는 시청자가 겸손해야 하는지 혹은 현명해야 하는지 헷갈리게 한다. 어떻게든 신분 상승을 해보려고 진지한 삶의 자세로 사는 것, 조금이라도 재물을 더 모으고 더 큰 집에 살려고 하는 것이 차라리 서민으로서는 겸손한 삶이라는 것을 깨달아야 하는지, 안빈낙도는 패자의 자기기만이란 극 중 대사처럼 우수 DNA를 인정하라는 것인지, 혹은 재벌을 바보로 보라는 것인지, 텔레비전을 보면 그냥 재미로 보지 그렇게 머리 아프게 보지 말라는 뜻도 있는 것인지? 물론 텔레비전이야 원래 '우민 상자'라 했다.

그래도 한번 생각해보자. 텔레비전 드라마는 원래 허구고 픽션이다. 사실적인 기록인 역사를 보자. 역사는 하늘을 찾고 운명을 수용하고, 도리와 양심과 사람 됨됨이를 따지던 동양이 서양의 위아래도 없는, 서열도 없는 하늘도 모르는 서양인들에게 패했다. 중국의 중화사상은 아편전쟁 때 영국 범선에 무릎을 꿇었다. 노예로 전락하지는 않았지만, 중국은 불평등조약을 강압으로 맺을 수밖에 없었다. 중국의 자존심은 깨졌다.

그리고 지금도 유럽 미국 같은 선진국들의 소득수준이 높다. 서양철학은 인간의 도리를 따지지 않는다. 인간이란 어떤 존재인가? 그 본질을 파헤친다. 동양처럼 군자, 소인, 양반, 상놈…. 그런 사회규범을 논하지 않는다. 권력과 힘이 있으면 지배자가 된다. 힘으로 나누지 도리니 양심이니 그런 쓸데없는 것(?)으로 나누지 않는다. 동양은 이성적이어야 인간이고 군자라 했지만, 서양은 원래 인간은 감성적이고 권력지향적이라고 인간의 본성을 인정해버린 후 출발한다. 그래서 지금은 서양철학이 세계철학의 중심이 되었다. 서양철학이 사람의 본성을 밝힌 것이 동양철학의 사람의 도리를 밝힌 것에 뒤처진다고 볼 수는 없다. 전자는 현실 긍정 위에서 출발하지만, 후자는 자기기만 일 수도 있다.

자기 긍정에서 출발하여 과학을 발전시키고, 지금 그들은 지구를 지배하고 있다. 중국과 러시아가 나름 힘의 균형을 이루려고 하고 있으나 소득수준 과학 수준은 낮고 늦다. 네팔인들은 싱가포르인들보다 행복하지 않다. 움막집에 살면서 허기진 사람은 행복하지 않다. 그건 주관적 관념적 행복이다.

결론이 뭔가? 뭔 얘기를 하려고 이렇게 긴 얘기를 했나? 현실을 긍정하고 최고로 자기 삶에 정직하게, 욕심내며 자기 것 챙기며 잘 살자는 얘기다. 인간미, 인간적, 도리, 양심…. 그런 것 따지지 말고 열심히 돈 모으고 살자는 얘기다. 근거 없는 자존심 그만 내세우고 잘난 사람 잘 나가는 사람 인정하고, 최선을 다해 살자는 슬픈 얘기(?)다.

_ 레옹의 화초 _

P 군에게!

오늘은 모처럼 비가 내리는 군요. 비가 내리는 날은 마음에도 가끔 비가 내립니다. 지난번 P 군이 보내신 '삶의 고단함의 호소' 같은 물음에 한동안 가슴이 먹먹하기도 했지만 한번 돌아보면 '산다는 건' 단순한 놀이도 감상도 아닌, 어쩌면 매매일이 전쟁 같은 것일지도 모르지요. 고요한 바다가 참으로 평화롭게 보여도 그 바닷속은 생존경쟁의 먹이사슬이 생태계의 본질적 구조로서 존재하듯이 말입니다. 비 오는 날 산을 오르다 보면 나무들이 함초롬히 비를 맞고 있지요. 참 고요하고 평화로워 보이지만 나무들도 햇살 좋은 날은 햇볕 한 줌 더 받으려고 치열한 싸움을 한다는 걸 아는지요? 지난해 태풍이 불었을 때 바위 위에 뿌리를 내린 나무들은 한그루도 쓰러지지 않았음을 보면서 우리가 사는 세상살이를 다시 한 번 돌아보기도 했었지요.

영화 이야기를 한번 해볼까 합니다.

〈레옹〉이란 영화가 있었지요? 장 르노 주연의 거칠고도 여린 영화 말입니다. 애지중지하는 여린 화초가 계속 레옹의 삶에 투영되고 있었던 영화 말입니다. 이 사회에서 무릇 경쟁하지 않는 삶, 고통스럽지 않은 삶은 없는 것 같습니다. 화초 같은 삶을 동경하지만 '현실은 언제나 레옹의 메마른 삶'같이 이 사회는 생존경쟁의 절박함에 모두가 노출되어 있습니다.

무릇 모든 생명은 치열한 생존경쟁의 메커니즘 안에 있습니다. 산 속에 자라는 한 떨기 꽃도, 나무도, 강에 바다에 사는 모든 생명까지요. 경쟁에 뒤처지거나 자칫 방심하면 목숨을 잃습니다.

온실의 화초는 물 한 모금, 바람 한 줄기, 창밖에 들리는 새소리만으로도 살아내고 있습니다. 그러나 세상은 화초 같은 삶이 가능하지 않습니다. 그것이 레옹의 화초에서 느끼는 슬픈 고백 같은 것 아닐까요? 오른뺨을 맞고 왼뺨을 돌려대는 것도 한계가 있지요.

국방을 포기하면 나라를 잃지요. 자유와 평화를 잃습니다, 그것이 살인 청부업자 장 르노가 늘 소지하던 화초에 대한, 순전한 생명에 대해 닿을 수 없는 그리움(?) 같은 것 아니었을까요?

끝없는 도전 그리고 반응, 얕은 위로로서는 해결되지 않는 삶의 고통과 치열함, 그래서 어쩌면 하루가 더 의미로 살아나고 주제와 숙제로 다가오는지도 모릅니다. 적극적으로 마주해야만 하는 현실 말입니다.

세상에는 사망권세라는 이름으로 굴레 씌워진 욕망이 존재하고 그 사망권세에 밀리면 역사 속에서 사라져버리는 운명 앞에서, 이 혹독한 운명 앞에서 패배자들의 자기 위로나 변명 같은 사랑만을 말할 수는 없기 때문입니다.

권력의 끝자락을 붙들고 으스대거나, 어떻게든 국방의 의무는 간단히 치르는 지혜(?)를 발휘하거나, 노조나 공사에 재직하면서 인척과 자녀의 생애까지 보장받거나, 이렇게 욕망 혹은 권력과 금력이 지배하지 않던 시절이 있었던가요? 돌아보면 부끄럽게도 그게 우리 역사의 한 페이지였습니다. 그리고 나약한 변명 같은 무저항주의는 무저항이라는 또 다른 이념이나 권력으로 등장할 때만 의미로 살아났습니다. 결국 그것도 권력화했을 때, 군중 속에서 군중의 심리를 결속시켰을 때만 의미가 되지요. 그래서 우리는 윤봉길과 안중근을 존경합니다. 이분들은 일제의 탄압에 대한 저항 심리가 가장 뜨거울 때 그 정의 앞에 한 몸을 희생하는데 주저함이 없었습니다. 정의로움을 알아도 그 정의로운 행동에 주저함이 없었다는 것은 아무나 할 수 없는 일이었지요. 혹독한 운명 앞에서 정의로운 희생을 할 수 있는 인물이 사실 많지 않습니다. 그래서 인생을 살아보니 그런 분들의 의미가 점점 더 크게 와 닿곤 합니다. '저항'이라는 것이 말이지요, 상대방의 처지에서 보면 '테러'이지요. 그리고 얕은 박애의 눈으로 본다면 그건 살인행위일 수도 있습니다. 우리가 맞서는 세상이라는 것이 '평화와 화친'으로만 구성될 수 없음은, 그리고 마땅한 분노를 우린 외면해서는 안 된다는 것을, 역사가, 그리고 오늘 우리가 누리고 있는 이 자존적 평화가 반증해주는 것 아닐는지요?

동학의 접주였으며 기독교인이었던 김구 선생의 일본군 살인과 성경 속 가장 위대한 인물인 모세의 바로군인 살인은 '강건함의 세상

읽기' '정의로운 세상 읽기'의 본질로 이해하려 합니다. 정당한 저항 말입니다. 권력의 끝자락에 붙는 비겁함, 선제공격으로 세상 권세를 잡은 이방원이나 한명회에게는 읽어낼 수 없는 것으로 말입니다.

레옹에게 보호받는 화초는 레옹의 삶에 대한 반증일 뿐, 화초 같은 삶은 없습니다.

이 글을 쓰면서 오페라 '나부코Nabucco' 중 바빌론 강가에서 시온을 그리며 부르는 '히브리 노예들의 합창'을 듣습니다. 우리가 서 있는 이 곳은 이렇게 고통의 현장이기도 하지만 또 이곳을 떠나면 그리워지는 곳이기도 하다는 것을 압니다. 우리가 서 있는 이곳이 바빌론 강가이기도 하지만 또 시온인 것을 우리는 압니다. 더불어 사는 삶, 나눔과 감사, 기다림, 웃음, 이런 것들의 소중함을 아무리 현실이 어렵더라도 더 깊이 깨닫고 알고 간직할 수 있었으면 좋겠습니다. 비록 치열한 삶이 늘 혹독한 시련을 안겨주더라도, 우리 이웃들의 눈 속에 비치는 아름다움의 소중함, 손을 잡을 때 느끼는 온기를 항상 느낄 수 있었으면 좋겠습니다.

결코 '기적'은 없다 했습니다, 하루하루에 최선을 다했을 때 그것들이 켜켜이 누적되어 어느 날 나타난 결과가 타인들에게는 기적으로 보일 수도 있다지요, 그래서 삶은 매일 매일 최선을 다하는 '전투이며 놀이이며 또한 즐거움'이 되어야 할 것입니다. 그것이 우리가 부여받은 '미션' 같은 것 아닐는지요, '강인한 편안함' 그것이 오늘을 살아내는 삶의 지혜일지도 모르겠습니다.

P 군!

아직 젊은 그대에게 세상은 녹록지 않은 시련일 수 있습니다. 마음은 바쁘고, 몸은 고되고, 눈에 보이지 않는 결과를 기다리는 하루하루가 목적 없이 흐르는 것 같을 때가 많을 것입니다. 그러나 그것이 치열하게 사는 사람이 겪어야 하는 필연적인 싸움이기도 할 것입니다. 항상 열심히 사는 그대에겐 일도 사랑도 종국에는 축복이 되었으면 좋겠습니다. (2017. 09 문학공간 등단수필)

— 이름을 부른다는 건 —

혼자 중얼거려 본다. '익숙함에 속아 소중함을 잃지 말자' 며칠 동안 우울했다. 아니 계속 우울하다. 해는 지고 어둠이 내리기 시작하는 거리, 등산을 마치고 내려와 차 시동을 걸고 운전을 막 시작하는데 누군가 "아빠!"하고 부른다. 차창 문을 열고 보니 작은 녀석이 친구와 운동하고 오다 내 차를 발견하고 부르는 소리다. 그 순간, 갑자기 가슴을 눌러대던 묵직한 돌멩이가 치워진 듯하다.

숨이 막힐 듯 외로운 날들이 있다. 아침에 잠자리에서 그 고독에 눌러 어찌해볼 수 없는 날이 있다. 분명 내 주변엔 수많은 조약돌이 있고, 나 역시 그 조약돌들 가운데 하나건만 아무도 없는 공간에 홀로 떨어진 느낌에 사로잡히는 날이 있다. 여긴 어디인가? 이 빈 공간은 어디인가? 그런 날들일수록 간밤의 꿈은 군중 속의, 아니 이웃들 속의 나였다. 그런 날이면 유독 삶이 까마득해 한참을 누워있다 떨치듯 일어나야 한다. 그 공허로부터 탈출하기 위해 삶 속으로 자신을 속히 던져야 한다.

서른이 다 되어가는 아이들, 아니 이제 어른이다. 순발력도 감성의 탄력성도 나보다 낫다. 이미 어른. 그런데 왜? 이런 예비군 아들이 그 날 "아빠!" 하며 불러주는 한마디가 지난 며칠간의 '무의미'를 걷어 낸 것일까?

'익숙함에 속아 소중함을 잃은 날들', '산다는 것의 무의미성'. 『고도를 기다리며』처럼, 마치 길을 잃은 채 안개에 파묻혀 지낸 일상 속에 의식 없이 의욕 없이 머물다가, 아들이 나를 부르는 그 순간 그 습관 같았던 그 '무의미라는 일상'이 참으로 소중함으로 와락 다가왔다. '무의미無意味' 뒤에는 '비의미非意味'가 있었다는 사실을, 아니 '비의미' 뒤에는 '무의미'가 있었다는 것을 갑자기 느꼈다.

난 아버지를 '아버지'라고 한 번도 제대로 못 불러본 것 같다. 엄하고 어려워 부르지도 못했었다. 그건 부자지간 서로에게 큰 불행이었을지도 모를 일이다. '아버지'라고 부를 언덕이 있는 이는 행복하다. 그 언덕이 이제 비바람에 허물어져 낮은 이랑 같이 되어도. 서 있을 수 있고, 바라볼 수 있는 언덕이 있는 이는 행복하다. 언덕이 있다면 서 있을 수 있지 않은가, 바라볼 수 있지 않은가. 부모를 떠나보낸 이들은 '소중함'이란 그걸 잃어 본 후 절절히 느껴지는 '그 어떤 감정'인 것을 안다.

'아빠!'란 '부름' 안에는 너무도 많은 것들이 내포된다. 그건 단순한 호칭이 아니다. 그동안 쌓아온 숱한 감정과 사건과 켜켜이 쌓인 은혜와 감사와 애증들이 한꺼번에 시간으로 담기는 바다 같고 산 같은 소리이다.

"아빠!"

"왜?…."

"그냥."

그냥, 부르면 그게 '모든 것'이다. 익숙함에 속아 소중한 것을 잃지 않는 이는 지혜롭다.

길가다 스치며 불러준 작은 녀석의 목소리가 긴 여운으로 남는다.

가져서 얻는 행복은 길지 않았다. 그건 며칠 몇 년을 가지 못한다. '더 많이, 더 높이'이거나, 혹은 곧 익숙함에 속아 행복함을 잃는다. 욕심으로 얻은 행복은 물거품이다. 그런데 돌아보면 모든 것이 욕심이었다. 가련한 욕심, 그걸 알 수만 있다면, 깨달을 수만 있다면 산다는 건 즐거운 일이다.

행복이란 무엇일까?

가족의 웃음을 보는 것이다. 아이의 질문을 받는 것이다.

아니, 아빠 엄마라고 불러주는 것을 듣는 것이다. 그리고 아이들의 이름을 부르는 것이다. 너무 평범한 일상이지만 가장 특별한 의미다.

우린 늘 특별한 즐거움을 찾고, 특별한 행복을 찾고 특별한 재미를 찾는다. 그러나 그건 어디서 찾는다고 얻어지는 게 아니다. 아이가 나를 부르는 소리, 내가 아이를 부르는 소리 그 안에서 찾는 그 소소함을 제대로 '깨달을 때' 비로소 특별한 즐거움, 특별한 행복을 찾게 되는 것 같다.

일상의 지루함과 무의미, 권태를 지겨워하면서, 해가 뜨고 바람이 불면 우린 그걸 행복이라 생각하지 않는다. 그러나 권태가 지겨워, 일상이 지루해 그것을 탈출해보면 드디어 떠난 것이, 버린 것이, 자기 삶의 전부였음을 알게 된다. 왜 삶이 허허로워졌는지 알게 된다.

어느 교수가 지방으로 출장을 가서 6개월을 지내다 왔다. 3개월까지는 그 해방감이 참으로 가벼웠다고 한다. 그러나 시간이 지날수록 해방감이 외로움으로 바뀌면서 삶은 참을 수 없는 무의미가 되어갔다. 이는 기러기 아빠들의 장탄식에서 자주 본다. 가족이란 함께하는 그 자체라는 사실을. 같은 공간에서 숨 쉬는 것만으로, 그 내밀한 평화, 안락함, 깊은 휴식, 존재감… 그 모든 것들의 총체가 되는 것이다.

아이를 군에 보내거나, 유학 보낸 후 빈방을 들어서면서 느끼는 감정, 또 떠난 아이들이 타향서 가족을 그리는 감정은 직접 경험해보면 그 공허와 상실감의 깊이를 안다.

우리의 삶에서 가장 큰 행복이 무엇일까? 가장 소중한 가치가 무엇일까?

가족의 의미와 일상의 행복에 관한 얘기를 다룬 영화 〈런 올 나이트Run All Night〉가 가족의 소중함을 다시 일깨워준다. 가족을 잃어버린 삶은 공허하다. 그 누가 뭐라 해도 존재론적 본질적 공허에서 벗어나지 못한다. 이를 표현하기 위한 리암 니슨Liam Neeson의 영화는 모두 가족을 위해, 자녀를 위해 폭력조직과의 대전쟁을 다룬다. 〈테이큰Taken〉도 그랬다. 가족의 존재감, 아버지의 역할과 존재의 가치를 다룬 이런 주제가 그의 영화를 영화답게 만든다.

얼마 전, 지인으로부터 퇴근 후 피곤함에도 불구하고 저녁 먹고 어머니가 잠들 때까지 앉아있다 간다는 40대 아들의 얘기를 듣고 감격

했다. 어느 장관이 그랬다. 탱크주의를 광고하던 어느 과학자 장관이 그랬다. 퇴근 후 연로한 아버지 곁에 앉아있는 시간은 너무도 소중하다고, 같이 함께하는 것, 그건 상대에게 가장 큰 선물이다. 노모와 함께하는 것. 그리고 할 얘기가 없어 핸드폰을 만지작거리면서도, 그냥 텔레비전이나 틀어 놓고도 부모와 같이하려는 아들의 깊은 마음. 그건 사랑이며 사랑을 아는, 삶의 지혜를 아는, 아니 산다는 게 무언지 그 의미와 가치를 발견한 이의 행동이다.

행복이란 아이들의 노는 모습을 물끄러미 바라보는 것이다.

행복이란 아이들의 몸짓과 말과 표정을 보는 것이다.

하루의 일상을 끝내고 가족이 오손도손 앉아 마주하는 식사, 그것은 지상 최대의 행복이다.

텔레비전만 봐도 좋고 대화를 나누지 않아도 좋다.

자녀가 귀가하지 않으면 잠 못 드는 것이 부모의 마음이다. 집안에 키우는 강아지도 식구가 모두 귀가하지 않으면 깊이 잠들지 않는다. 그것이 곧 관계이며 행복이다.

너의 이름은 김춘수의 시처럼 '이름을 불러주었을 때 드디어 내게로 와 꽃이 되는 것'이다. 이름을 부르는 것! 그건 단순한 호칭이나 부름이 아니다. 이름을 부르는 순간 그 대상은 언제나 사랑이 되고, 관계가 되고, 의미가 되는 것이다. 부를 이름이 없거나, 부를 대상이 없거나, 있어도 부르지 않는 것, 그건 그저 스쳐 지나는 것일 뿐.

'스치는 것'과 '스미는 것'이 다르단다. 스쳐 지나가면 백날을 가도 그 자리. 스며들 수 있다면, 그리고 이미 스며들어 있다는 것을, 그리고 그것이 행복이라는 것을 알 수 있다면…. 아들이 "아빠!"하고 불러준 그 순간, 갑자기 무의미가 의미로 되살아날 수만 있다면, 늘 그럴 수만 있다면….

— 초막草幕과 소암燒庵 —

P 군!

일요일은 교회에서는 주일이라 합니다. 주의 날요, '초막절의 의미'가 주제였는데요.

초막절이란 풍요와 다산의 반대편에선 교회식으로는 '오로지 하나님 한 분으로 족하다'의 의미이며, 일반적으로는 물질과 외식에 빠져 자아를 참자아를 잃어가는 미명을 안타까워함이지요. 그래서 깊은 사색, 기도, 수도를 통해 내적으로 온전한 충만함으로 나아가는, 참 진리와 소망으로 향하는 방법론적인 얘기입니다.

'심재좌망心齋坐忘'이라 했던가요. 마음이 고요할 때, 버리고 버려 더는 버릴 것이 없을 때, 어쩌면 버린다는 의식까지 버렸을 때, 자아도 무아도 사라지는, 시간도 공간도 사라지는 그런 상태를 말하는 것으로 생각하는데요. 초막절의 의미가 심재좌망으로 가는 또 하나의 방법론에 관한 얘기 같습니다.

그런데 말이지요. 왜 꼭 초막절이 강조될까요? 그냥 내 집에 우리 집에 살면 어떨까요. 조금 화도 내고 눈물도 흘리고 조금 욕심도 내면서…. 희로애락이 어때서요? 왜 사단은 되고 칠정은 안될까요? 초막이면 어떻고 빌딩이면 어떤가요. 그렇지요. 저택만을 바라보며 달리는 세태를 보면서 그 안에 무엇이 있는지 왜 궁금해하지도 않는지, 그렇게 사는 인간들을 보면 안타까움이 일겠지요.

그러나 사람은 초막보다는 반듯한 집을 짓고 싶은 거지요. 마르크스가 틀린 것도 아니고 그게 나무랄 것도 아닐 테지요. 우리가 복을 비는 것이 잘못된 것은 아니지요. 실제는 욕망을 감추고 하늘과 선함과 순결함을 지향하는 것으로 심리적 안정을 기하는 것은 가식 같지 않나요? 물론 알지요. 이런 초막의식까지도 없이 살아내면 얼마다 각박한 세상이 되는지를요. 오히려 역사를 뒤꼬는 사람들은 늘 초막을 외치는 자들 아니었던가요. 자신의 행동과 의지를 합리화하기 위해서요. 초막을 위한 초막도, 궁궐을 위한 궁궐도 짓지 말고 그냥, 집을 짓고 사는 것은 어떨까요?

"천국은 침공하는 자의 것이라"고요? 세상에 대한 욕심도 모자라 천국까지 훔치는(?) 욕망의 끝장까지 간 것처럼 보이는 이 말씀은 어떻게 해야 할까요? 〈영중정월詠中井月〉이란 시를 좋아합니다. 이규보의 시지요. 스님이 탐내는 물에 비친 달빛 또한 '색色'이라는 것이지요. 달빛을 그냥 감상만 하지 왜 물을 길을 때 물에 비친 달까지 길었을까요? 그러나 그게 인간이겠지요. 동산에 뜬 달은 들일 곳이 없으니 그냥 두고 보기가 쉽지 않다는 것이지요.

한국의 불상, 한국의 부처상이 갖는 속성인 '온전성Integrate'이란 말도 좋아했지요. 반가사유상요. 흠도 티도 품고, 웃고 있는 절대로 완벽하지 않은 부처상요. 완전성Perfection은 또 하나의 이념일 뿐이라지요. 화광동진和光同塵이라 했던가요. 빛과 먼지는 늘 함께 있는 것요. 그래서 세상은 세속은 너무 비난만 할 것이 아닌 것 같기도 합니다.

바리새인들이 "천국이 어디 있느냐"고 예수님께 묻지요. 예수께서 가라사대 "하나님 나라는 볼 수 있게 임하는 것이 아니요, 또 여기 있다 저기 있다고도 못하리니 하나님 나라는 너희 안에 있느니라(누 17:21)", 여기다 저기다 깃발 꽂는 이들의 인위성 의도성을 비난한 것 아닐까요?

'파자소암婆子燒庵'이란 일화도 있지요. 노파가 절을 불 지른 얘기입니다. 20년 도를 닦고도 여인을 품고 나무나 바위 같다고 했다니 쫓겨날 수밖에 없지요. 사람이 어찌 이슬만 먹고살까요? 인간이 인간다워야 인간인 것 같아서 생각해 본 것입니다. 가식 없이 살자. 뭐 그런 얘기를 하고 싶은 것입니다.

_ 숙제의 특권 _

6시쯤 창이 밝아오고 나면 9시쯤에는 작은 방안으로 햇살이 깊숙이 파고든다. 산다는 게 까마득한 날이 있다. 무슨 희망이나 의욕 같은 것은 전혀 없는 날이 있다. 있고자 해도 지쳐 설 수 없는 희망들, 누구나 그럴 때가 있다.

세월은 무자비하게 흐르고 직장도 불안하고 특히 심신이 더 끌고 갈 수 없을 정도로 지치는 날이 있다. 주변을 둘러보아도 보이는 건 없다. 까마득함, 뿐이다. 사실은 누구나 혼자다. 젊어서 바쁘고 가족 속에 있고 애들 속에 있기 때문에 잊고 살 뿐, 언젠가 혼자가 될 수 있다. 은퇴하고 애들 출가하고, 그러면 그 고독 외로움을 어떻게 할 것인가?

'걷는 것'으로 그 외로움을 극복한 전 프랑스 기자 베르나르 올리비에, 『나는 걷는다』 원제 Longue marche가 있다. 자살하려고 했다가 극복했단다. 어느 날 갑자기 해고 통지, 부인과 사별, 아이들은 결혼해서 떠나고 그에게 남은 것은 고독뿐, 그의 이름은 베르나르 올리비에다. 고독은 지옥의 모든 것을 합한 것이란다. 그럴 수 있다. 소리쳐도 들을 이 없는, 들어도 반응할 이 없는 그 절대적 고독 앞에 서면. 고독 얘기, 외로움 얘기하려는 것이 아니다. 그건 누구나의 것이 될 수도 있는 인간 본질이다. 그리고 누구나 늙으면 차츰 몸도 정신도 쇠약해간다.

쇠약하다는 건 기능을 잃어간다는 것이다. 그렇게 되면 맘도 몸도 생각까지도 옅어진다. “겉 사람은 날로 피폐하나 속 사람은 날로 새롭다”란 얘기는 일부는 맞고 일부는 틀리다. 뇌의 기능이 약해지고 축소되는데, 그래서 아이처럼 단순해지고 자꾸 울기도 하는데, 즉 ‘생각하는 힘’도 약해지는데 날로 새로워지기는 어렵다.

요즘 시내나 교외에 ‘노인 요양원’이라는 것이 많이 있다. 좋게 말해서 요양원이지 인간폐품창고다. 폐품처리장 같은 역할을 하는 것은 맞다. 인간이기에 그 존엄성 때문에 최소한의 격식을 차리는 것일 뿐, 돈이 많으면 좀 나은 것 같다. 그렇지만 그게 크게 다를까? S, H, L 그룹의 전 회장들을 봐도 크게 다르지 않다. 노년에 늙어가는 모습은 비슷하다. 어쨌든 이게 인간의 실존과 고독이다.

그래서 필요한 것이 삶에 대한 이해이다. 칸트는 물 한 잔 마시고 “좋았었다”고 했고, 서경덕은 “이미 다 깨달았다” 하고 전 교황은 “여러분 행복하세요, 전 행복합니다.”라는 말을 했다. 하나님의 사랑이 실현된 역사와 주님의 내재성을 깨달았기 때문일 것이다. “다 이루었다”는 예수의 말씀은 후대에 작가들이 지어낸 얘길까? 아니면 의미 없게 한 말씀일까? 아니면 태초로부터 예정된 노정이었을까? 그건 각자 해석의 문제이다.

한 사람이 오는 것은 전 우주가 오는 것이란다. 천상천하유아독존, 폐품처리장이 노인 요양원이라 해도 그 한 사람 한 사람은 온 우주이다. 이건 어쩌면 우울한 얘기다.

삶은 삶으로 돌아와야 한다. 외면하지 말고 스피노자처럼 한 그루 나무를 심어야 한다. 전직 대통령이 스스로 삶을 접는 날 집을 나서면서 집 앞에 잡초를 뽑고 나가는 장면은 한 그루 나무를 심는 것과 같아 보였다.

까마득한 날 홀로 누워 까마득한 시간과 세월과 마주하는 날이 있다. 몸도 맘도 지쳐 어찌해볼 수 없는 날이 있다. 그런 날은 홀로 누운 방, 햇살 비켜 간 오전이 호수처럼 고요하다. 손을 놔버리면 들 수 없을 정도로, 정신을 놓으면 끝없이 졸음이 쏟아질 정도로 몸도 맘도 지친다. 누구나 그럴 수 있다. 그렇다고 그리움이나 갈망이나 소망이나 삶에 대한 긍정적 유인까지 없진 않다. 치매 노인도 가냘픈 기억 하나 붙들고 시간에 순응하고 있다.

그리움이 일 수도 있다. 그러나 그리움이라는 것이 가만히 생각하면 그것도 어쩌면 '신의 장난 같은 것'. 그리움이란 정에 대한 것 아닌가. 받은 정, 준 정, 이루지 못한 정에 대한 것이다. 그 정까지도 끊어내는 것이 불교식 수도 같은 것이다. 그러나 그것 끊어내지 말고, 삶에 겸손하게 울고 웃고 그리워하자, 지쳐 있는 것은 옳지 않다. 쓰러질 때까지 걷는 것이 옳다. 지쳐도 산책을 하고, 일하고, 뭐든 만들고 풀 하나라도 가꾸자. 숙제는 그것을 받은 사람의 특권이다.

_ 담벼락 타기 _

K 군!

가을 아침입니다. 오늘 아침은 같이 담벼락을 한번 타보면 어떨까요?

채현국 효암학원 이사장, 참 독특한 사람입니다. 치아를 해 넣지 않는 이유가 자연의 순응이래요. 그래서 적게 먹게 되니 오십 년 당뇨도 괜찮대요.

한때 납세 순위 십 위, 회사 직원들에게 다 나눠두고 지금은 신용불량자. 그 이유가 은행 직원들 감옥 보낼 수 없어서, 그렇다고 미련도 없답니다. 원래 내 것이 아니었기에, 기업 잘하는 비결은 어느 정도 기업이 궤도에 오르고 난 후 직원들만 행복하게 해주면 된답니다. 자연에 순응하고 인본주의를 실현하고, 비인간적 시스템과 권위에 늘 맞서고…. 이 사람 '쓴맛이 사는 맛'이라고 교정 내 표지석에 새겨두었습니다.

이형우 대표라는 사람도 있지요. 마이더스 회사 사장요. 오직 그가 관심 두는 것은 직원들의 복지지요. 그렇게 되니깐 직원들은 죽기 살기로 일하고 최고의 기업이 되었지요. 그런데 말이지요, 그것도 큰 사기꾼에 불과할 수도 있지요. 결과적으로 사장의 은닉된, 교묘한 자기 충족의 수단이었다고 한다면요. 그래도 감사하지요. 직원은 선택할 수 있잖아요.

찰리 채플린

"인생은 가까이서 보면 비극이고 멀리서 보면 희극이다. 불행해지면 인생이 너를 비웃을 것이요, 행복해하면 인생이 웃음 지을 것이다. 그러나 만일 다른 사람을 행복하게 하면 인생은 너에게 경의를 표할 것이다. 웃어라, 행복해라." 찰리 채플린의 고전 영화 모던 타임즈Modern Times에는 자본주의 시스템하에서 컨베이어 벨트에 끼어 하나의 톱니바퀴가 되어버린, 자아와 인간성을 잃어버린 개인, 자본주의의 한갓 부품이 되어버린, 니체가 말한 물만 채워주면 사막을 한없이 걷는 낙타 같은 우리 인생을 보여주지요. 우리가 사는 일상은 어쩌면 고해일지도 모르지요.

그렇다고 자본주의 자체를 거부할 수도 없지요.

그 때문에 시스템의 부속품이 되어, '살아가는 것이 아니라 죽어가고 있는 자신에 대한 슬픈 자성'은 어느 날 아침 눈뜬 자리에서 우리를 아득하고 허허롭게 하지요. 돈 버는 재미는 마약의 천 배랍니다. 돈을 통한 사회구조의 형성, 돈은 구조의 지배자가 될 수 있다는 의미를 넘어 그 구조로부터 자유하고 해방될 수 있다는 무한의 희망이지요. 그게 돈의 위력이요 자본의 끝없는 매력이지요. 미국에서 천억대 복권 당첨자가 제일 처음 한 것이 사직이더군요. 참으로 슬픈 구조 아닌가요. 직장이 구속이었고 돈은 해방의 유일한 도구이니까요.

그러나 이것이 또한 거부할 수 없는 우리의 현실 아닌가요.

그래서 이런저런 이유로 이 시대는 결국 자본에 의한 인간소외이며 그건 피할 수 없는, 피해지지도 않은 담배 연기 같은 사회 시스템이지요. 그렇다고 우리 스스로 자본주의 시스템의 피해자가 되었다고 받아들이는 건 오해겠지요. 아직까진 인류가 발견한 가장 합리적인 공동체 유지수단이 자본주의라고 말한 후쿠야마Francis Fukuyama의 설명은 옳은 것 같거든요.

물론 이런 인간소외가 '자본주의가 필연적으로 초래한 결과'라고 보기 시작한 출발점이 '인간의 자본에 대한 승리'이고자 만든 공산주의였지요. 그래서 극우적 시각에서는 자본주의에 대한 혐오감의 표현이 곧 빨갱이가 되어버리는 자판기를 지금까지 생산해온 것 같아요.

하고 싶은 말은요, 그래서 우리는 매일 줄타기를 해야 할 것 같다는 것입니다. 떠나지도 머물지도 못하면 결국은 중간지점 밖에는 요. 자본과 인간 사이에서, 자아와 타자 사이, 밤과 낮 사이, 비움과 채움 사이에서요.

자본주의의 의미를, 그리고 거기에서 살아가는 방법에 대해 생각해 보았습니다. 그렇지만 그렇게 줄타기를 하고 산다고 공허를 완전히 메울 수 있을까요? 어느 아이돌 가수 기획자가 비슷한 얘기를 하더군요. 돈을 많이 벌었대요. 그럼에도 어쩌지 못하는 공허 때문에 타인을 위한 봉사를 시작했대요. 그렇게 살면 '나만을 위해 사는 것은 죽어가는 것이고 타인과 사회를 위해 사는 것은 살아가는 것'이 옳다는 성현들의 말씀을 실험해 봤대요. 그래서 그 남은 공허가 사라졌을까요?

타인을 짓밟고 자기 자신만을 위해 사는 인간들이 분명히 있습니다. 조직이나 국가가 잘되는 것보다는 자기 일신의 부귀와 영화, 승진과 이익만을 위해서 사는 인간 부류는 수없이 있지요. 사회생활을 하면서 지독히도, 그야말로 지독스럽게도 많이 봐 왔습니다. 그들은 거부할 수 없는 능력 있는 인간들이지요. 일제 시대 일본에 동조한 매국노라 불리는 사람들 76인, 그들은 그 대가로 요즘 돈 수십억씩을 받았으며 친일파가 되었고, 해방 후 정부수립에 공로자가 되었고, 지금도 학계, 재계, 정계 관계의 주역이 되어 있고, 뭐 남인들이라 하던가요? 동양철학사 전공하는 친구 교수의 말입니다. 흔히 말하는 훈구파요.

역사라는 것이 고리타분한 옛이야기가 아니라 지금 우리의 아픈 현실을 만들어 낸 뿌리에 관한 얘기 아니겠습니까. 그렇게 지배하면서 친탁으로 남쪽만으로라도 권력을 잡은 이들요. 그렇게 자기 자신만을 바라보는 참으로 위협적이고 교묘한 능력을 지닌 부류는 늘 있지요. 이렇게 가면 죽어가는 것은 자아뿐만 아니라 사회와 국가지요. 남북으로 나뉜 아픈 우리의 현실이 말해주듯이 요.

체 게바라Che Guevara는 혁명가가 아니라 휴머니스트 의사라지요. 남미의 아픈 현실을 대학 시절 오토바이 여행에서 뜻하지 않게 보게 되었고, 운명처럼 자신의 삶을 그들을 위해 내놓은 인물요. 그것이 선택이 아니라 그에게 어쩔 수 없는 최소한의 저항이었겠지요. 일신의 안락함에 현실을 외면할 수 있었다면 그의 뜻과는 무관하게 혁명가로 기록되고 끝내 전장에서 생을 마감한 그의 일생은 개인적 행복으로 달리 전개되었을지도 모르지요. 그가 대단한 혁명의식에 불탄 것은 아니었다고 보고 싶고, 현실을 외면할 수 없어서 불가피하게 택한 선택이었을 것으로 생각하고 싶은 것은 우리가 모두 체 게바라가 될 수 없기 때문에 갖는, 양심이 버리지 못하는 변명이나 희망 같은 것이겠지요. (그렇기에 세상은 늘 이렇게 된 것일지도 모르지만요)

사실 이런 가치론은 어쩌면 부품이 되어 처자를 짊어진 우리에게는 먼 얘기지요. 선거 때 표로나 심판하면 그게 주어진 유일한 권력 행사이고요. 그러다가 회사에서 노조가 생기거나 혹은 인원감원이 있을 때는 자신에게 직접적인 영향으로 다가오는 거죠. 우리는 온전한 소시민이니까요. 이럴 땐 정치나 역사가 사실 자신과 무관한 먼 얘기가 아니라는 것을 수용할 수밖에 없기도 하지요. 이것이 다수의, 그렇다고 많이 이기적이거나 과히 비겁자라고만 할 수 없는 우리들의 삶 아닐까요.

그래서 현실의 우리는 늘 담벼락을 타고 다닐 수밖에 없다는 생각을 합니다. 담을 넘지도 아니 넘지도 마는 것요. 혼자서 바꿀 수 없는 세상이라고 생각하며 차츰 나아질 것이라고 자위하면서요.

그런데 말이지요. 이렇게 그렁저렁 산다고 치자고요. 그렇다면 접어두었던 본질적 공허는 사라졌나요? 아니라면 우리는 또 어찌 살아내야 할까요? 이젠 철학적이지 않을 수 없을 것 같습니다. 철학 또한 선택의 문제가 아니라 태어나면서부터 짊어진 질문이라고, 특히 실존주의자라 불리는 분들이 절절하게 끄집어내어 놓은 문제요. '당신은, 나는 과연 행복한가?'라는 질문이 철학적 질문이잖아요. 만일 아니라면요, 행복하지 않다면요, 그 이유가 전개한 정치적 상황, 사회적 문제, 분배와 균형 이런 차원이 아니라 또 다른 이유라면 요, "다른 사람을 행복하게 하면 행복이 그에게 경의를 표한다"고 했잖아요. 그래서 인류를 위해 타인을 위해 생명까지 버린 많은 분은 행복했다고 보자고요, 물론 그것도 왜곡되거나 세뇌되거나 하기도 하지만요. 이렇게 역사에 남을 정도로의 인사가 되지 못하는 대다수 서민들, 우리 인간들은 어쩌면 행복해질까요? 공허를 버릴 수 있을까요?

이런 담도 한번 타보지요. 현실과 이상. 자본주의와 자유주의, 개인과 공동체 이런 외양적 담 외에 내면적 심리적 담요. 입산하는 것도 아닌, 서원하고 신부 수녀가 되는 것도 아닌, 유무상생의 중간쯤요, 보통 중도라거나 중용이라고 하는 중간쯤요. 새벽 여명이 밝아올 때, 저녁 어둠이 밀려올 때, 빈 마음으로 하늘의 별들을 바라볼 수 있는 중용의 도요, 분명히 이기적 자아, 틀지어진 자아를 끝없이 쌓아가는 것, 나만이 잘난, 내 생각만 옳은, 자족과 자만과 통장 잔고의 증가, 그것만 하면 분명히 슬픈 일이 될 테지요. 내려놓고, 흩어내고, 잃어가는 것. 성경에 있잖아요. 곳간 가득 채워놓고 오늘 불려가면 어찌하느냐고요. 그렇다고 통장 잔고 비우라는 것은 절대로 아니지요. 무슨 사이비 종교단체는 이 세상은 거짓이다. 하고 다 뺏어가지요, 그건 최고 불행의 시작인 것이야 우리가 너무 잘 알지요.

마음 비워보지요, 그렇다고 도인 되는 것 말고요, 비우되 떠나지 않은 비움요, 머무르되 꽉 채우지 않는 여유요. 그것은 현실을 의식적으로 바라볼 시각도 필요하며 한쪽으로 올인하지 않을 균형감각도 필요할 테지요. 이기적 자아를 어느 정도 내려놓으면 그리 크게 불행해지지는 않을 듯합니다. 자아를 내려놓는 것도 기실은 온전히 행복할 권리를 실현하기 위한 수단이기도 하겠지만요. 자아내려 놓기, 사실은 그게 그리 쉬운 것 절대로 아니지요.

그래서 또 담벼락을 타보자는 것이지요, 넘어서지도 넘어오지도 않은 그 선에서요, 놓지도 들지도 않은 그 선에서요, 그러면서 여명과 저녁놀을 즐기고, 가을의 정취를 느끼며, 이웃의 눈을 바라보며, 서로 길들며, 그렇게요.

_ 노릇과 놀이 _

아버지 노릇, 아들 노릇, 남편 노릇, 부모 노릇, 선생 노릇, 대통령 노릇까지.

그리고 이런 것도 있다 대통령 놀이, 아들 놀이, 친구 놀이…. 대통령 놀이와 대통령 노릇이 어떻게 다를까? 아들 놀이와 아들 노릇은? 건성건성 겉치레로, 정성과 성의가 빠진 형식적인 행동, 남에게 보여주기 위한, 최소한의 도리도 하지 않은 면피용 행동을 '놀이'라 할 거다. 혹은 놀이란 노릇이 의무가 아니라 즐거움이 된 상태를 말하리라. 가끔 요양원이나 찾는 건성으로 부모를 모시는 건 아들 노릇이 아니라 가벼운 놀이일 뿐이다.

노릇은 대가를 바라지 않고 정성과 맘으로 최선을 다하는 것, 교회를 다니거나 성당, 절을 다니는 분들도 마찬가지, 그냥 놀이로 다니는 것과 노릇으로 다니는 건 분명 차이가 있겠다. 때문에 '노릇'을 하지 '놀이'가 되게 하지 마라. 이렇게 말하면 그건 설익은 어른이란 표현의 '꼰대'의 좋은 말씀 정도가 될 수 있다. 그렇다고 사람이 모든 분야에서 노릇을 다할 수 있을까? 부모 노릇 자식 노릇 잘하는 착한 사람들을 성실한 사람이라 일컫는다. 성경에서는 요셉이 그런 사람이었고 사서 중 하나인 대학에서는 이런 상태를 성의정심誠意正心이라 했다.

이전에 초등학교 시절 급훈이 대부분 성실이었다.

돌아보면 노릇 다 못하고 산다. 자식 노릇 못했고 부모 노릇 못했다. 돌아보면 늘 놀이만 한 것 같다. 헌신과 희생, 내어줌, 함께함이 없으면 그건 놀이에 그친다. 아이가 지금 무얼 힘겨워하는지, 부모님은 지금 어떠한 상태이신지, 혹 요양원에 모셔두고 가끔 들여다보고, 그리고 조금 마음에 자책 정도 하고 사는 것은 아닌지, 선생 놀이도 있다. 강의 교안 하나 가지고 평생을 가면 그건 선생 놀이다. 목사 놀이, 신부 놀이, 스님 놀이라는 것도 있을 거다. 남의 눈 의식해서 고깃집 별관에서 쇠고기 주문하는 스님놀이도 분명히 있다.

유학에서는 이 놀이를 경계하라 한 것이 '경敬'이겠다. 퇴계는 사단을 칠정과 같게 하는 수단으로 경을 얘기했다. 늘 근신하고 조심하고 살피라는 것이다. 혼자 있을 때 남들이 보는 것처럼 행동하란다. 그런데 이것은 참으로 인위적 구분 아닐까? 힘겹고 어렵고 피곤하고 짜증 나고 지겨운데도 늘 노릇을 한다는 건 한계가 있다.

놀이와 노릇이 같은 것으로 보이는, 굳이 구분할 필요가 없는 상태는 없을까? 조카는 퇴근 때 매일 시골의 부모님께 전화한다. "오늘 어떠셨어요, 저녁은 뭐 드셨나요?" 그 친구에게 부모님께 하는 관심은 노릇 아니고 분명 놀이다. 선생 노릇도 마찬가지다. 교육이 재미있고 학문탐구가 즐거우면 선생도 놀이가 된다. 대통령 놀이, 사장 놀이… 그건 상대와 함께할 때, 마음이 먼저 가 있을 때 가능하지 않을까.

며느리 노릇 잘하는 이는 칭찬 받는 며느리겠다. 그런데 시부모가 매우 상당히 엉터리라면 그래도 며느리 노릇 잘할 수 있을까? 사장이 수전노이고 인격이 바닥인데, 형 동생이, 부모가, 친구가 매우 불합리한데도 그 노릇에 충실할 수 있을까? 어느 분이 그랬다, 어느 날부터 시부모가 가여워 보이기 시작했다고, 참 가련해 보이기 시작했다고, 어느 선배가 그랬다. 부당하고 협잡꾼인 사장이 자신의 소왕국에서 당근과 채찍, 숙청과 먹이로 직원들을 동물농장 길들이기 하듯 하는 것을 보면서, 그들의 모자람과 욕심과 분노를 보기 시작했다고, 그랬더니 늘 고통스럽게 다가오던 것이 이해로 수용으로 바뀌더라고,

상대의 한계를 본 것이다. 상대의 '부족함'을 본 것이다. 그리고 그것이 가여워지기 시작한 것이다, 그다음부터 측은지심이 나오고, 시비지심보다 측은지심이 먼저이니 시비지심은 이미 의미가 없겠다. 늘 고통을 주는 모자라는(?) 상대에 맞서지 않을 수 있는 것, 대응하지 않을 수 있는 것은 나의 '양보' 때문이 아니라 '이해' 때문이겠다. 양보는 한계가 있다. 이해는 한계가 없다. 상대방의 부족과 흠결을, 그래서 누구나 가련하고 불쌍하다는 것을 이해해 보는 것이다. 요셉이 자신을 노예로 팔아버린 형들을 어떻게 용서했을까? 아마도 그건 용서가 아니라 이해였겠다. 형들의 이기심을 이해했을 것이다. 이렇게 노력하다 보면 자신이 무경계가 되는 것, 경계를 넘어서서 화내지 않는 사람, 그는 무경계의 사람이다.

'왜 그럴까?'로 대적하기 시작하면 영원히 해결점이 없고 그 피해자

는 곧 자신이 되어버린다. 상대는 원래 그렇게 제조되었다고 이해하게 되면, 그다음부터는 좀 나아지지 않을까? '허주'의 얘기가 있다. 빈 배, 사람이 타지 않은 빈 배, 호수에서 부딪힌 배가 빈 배라면 화를 내는 것이 이상하다.

놀이와 노릇, 그 경계도 무경계가 아닐까 경계가 원래 없는 것. "아! 예 알겠습니다. 미안하고 죄송합니다." 순간순간 바라보기를 할 수 있다면, 그 상황에 빠지지 말고 '바라보기' '이해하기'를 할 수 있다면, 남편을 있는 그대로 바라보기, 아내를 이해하기, 그대로 인정하기, 그렇게 상황에서 자신을 분리하기(?) 그러면 노릇이 놀이가 되지 않을까?

_ 어느 교수의 죽음 _

'빗장'이란 단어는 요즘은 잘 사용되지 않는 단어다. 빗장은 대문이 열리지 않도록 양쪽 문을 고정하는 나무다. 대문을 닫고 빗장을 잠그면 도둑이 들어오는 것도 외부의 침입도 막을 수 있다. 여름이든 겨울이든 밤에는 반드시 대문을 닫고 빗장을 잠갔다. 그리고 바람에 삐거덕대는 빗장 안에서 긴 겨울밤 안정감을 느꼈다. 빗장은 방어와 안정, 열림과 소통을 나누는 중심의 키워드였다.

서민들이야 대문도 달지 못했고 집안에 지킬 값비싼 물건도 없어 사립문을 달았고, 지키고 보존해야 하는 것들이 많은 부잣집, 대감집은 대문이 있었고 빗장이 있었다. 그래서 빗장은 신분의 표시요 가진 자의 자존심이었다. 사립문이야 물동이를 이고 드나드는 문이요, 삽살개가 언제든지 마음대로 드나드는 문이다. 그러나 빗장 달린 솟을대문은 함부로 동물들이 드나들거나 아무나 신분확인 없이 드나들 수 있는 문은 아니었다.

빗장은 열리면 손님도 들어오고 바람도 들어오고 온갖 풀벌레의 노랫소리도 들어온다. 빗장을 잠그면 왕래할 수가 없다. 로마가 천 년을 지나온 것은 '모든 길은 로마로'에서 보듯 길을 내고 빗장을 열었기 때문이며, 만리장성을 쌓은 진나라는 빗장을 닫고 곧 망한 셈이다. 빗장은 열려야 한다.

신성한 대학에서 여자의 성을 주제로 외설적 소설을 발간했다는 이유로 모 유명대학 교수가 수업 중 구속이 되고 재판을 받고 해직이 되었다. 그리고 홀로 기거하다 스스로 생을 마감하였다. 그 책을 읽은 독자는 무죄이다. 그러나 책을 저술한 작가는 유죄다. 뇌물도 수뢰죄가 있으면 공여죄도 있어야 한다. 책을 두껍게 만들어서 그 책으로 길가는 행인의 뒤통수를 때리는 무기로 사용되었다고 책의 저자를 구속하는 것이 오히려 더 옳을지도 모를 일이다. 전쟁소설을 썼다고 전범이라거나 희대의 사기 사건을 소설로 구성했다고 해서 사기죄로 고발하지는 않는다. 해당 교수가 성에 대한 담론을 얘기하였으면 문제 되지 않았으리라. 신성한 대학 강단에서 타락한 성을 주제로 강의하고 소설을 쓴 것이 문제였다. 유죄로 인정한 해당 판사의 판결문이 우리를 슬프게 한다. "만일 10년 후라면 죄가 되지 않을 수도 있지만 시대적 상황을 반영하지 않을 수 없다"는 자기변명적 판결문은 그도 역시 역사의 주인이 되지 않으려는 얄팍함을 보여주고 있는 것으로 보여 씁쓸함을 자아낸다.

미셸 푸코Michel Foucault는 『성의 역사Le souci de soi』에서 성은 역사적으로 금기시되어온 경향이 많으며 자본주의사회, 일부일처제의 출현, 기독교의 성윤리 등에 의해 억압받아 온 것으로 표현하고 있다.

푸코의 『성의 역사』나 프로이드의 『리비도Libido』는 성을 음지에서 양지로 끌어내 놓은 것은 틀림없는 것 같다. 성은 본질적이고 근원적인 욕망이다. 개구리, 두꺼비, 연어는 한 번의 성을 위해 목숨을 건다. 아프리카의 새들이 암컷에게 구애하는 장면은 인간보다 더욱 처절하다. 예쁘고 튼튼하게 집을 짓거나 아름답게 데코레이션을 하거나 혹은 암컷을 유혹하기 위해 다양한 춤을 춘다. 이런 성을 구조주의 철학자인 푸코는 타자das Andere, others로 인식되어온 성이 오히려 주체였다는 것을 알려주고 있다.

볼테르Voltaire는 프랑스의 자존심이다. 빅토르위고가 "이탈리아에는 르네상스가 있었고 독일에 종교개혁이 있었다면 프랑스에는 볼테르가 있었다"라고 했다. 그런 볼테르도 스물두 살에 공작부인과 함께 그녀의 성에서 로맨스를 즐겼고, 루소는 남작부인과 연인관계를 유지하였고, 러셀은 여든 살에 세 번째 부인과 이혼하고 마흔 살 연하의 여성과 결혼했다. 물론 이렇게 불행한(?) 철학자도 있다. 키에르케고르Kierkegaard는 짝사랑의 여인을 너무 사랑하고 신성시한 나머지 감히 결혼할 생각도 하지 못한 채 그녀를 보내버렸다.

도덕을 가장 좋은 옷으로 여기고, 그걸 입고 있는 사람은 /차라리 벌거벗는 것이 나을 것입니다/ 그리해도 바람과 태양이 그의 살갗에 구멍을 내지 않을 것입니다
또한 자신의 행위를 윤리라는 울타리에 가두고 있는 사람은 /자신의 노래하는 새를 새장에 가두고 있는 것입니다 /하지만 철망과 빗장을

통해서는/ 최고의 자유의 노래가 흘러나오지 않습니다 〈예언자 중〉

우리는 닫힌 사회에 산다. 기업조직이 그렇고, 사회조직이 그렇고, 직장문화가 그렇고, 관료사회가 그렇다. 사농공상, 장유유서…. 유교의 그림자가 깊은 향수로 남아 자유주의, 개인주의 문화는 아직도 사회악으로 간주하는 경향이 많다. 종교라는 이름을 뒤집어쓰고 자아의 벽을 더욱 높여가는 사람들, 이기심의 굴레에 갇혀 옴짝달싹 못하는 이들, 권위의 틀에 갇혀 인격적 자존심이 조금이라고 공격당하면 참지 못하는 홀로 높은 분들, 혹은 인간을 인간으로 보는 것이 아니라 소재로 보고 이용수단으로 보는 기업가들…. 그 어떤 높은 분도 상대에게는 대상(객체)일 뿐이다, 하이데거Heidegger의 '다자인'의 의미가 이렇다. 인간은 주체이면서도 객체이다. 영원한 주어, 주인공은 없다. 하나도 없다. 죄인과 형사가 따로 있고, 교수와 그를 정죄한 판사가 따로 있고, 사장과 종업원이 따로 있고, 저자와 독자가 따로 있을까?

칼 포퍼Karl Popper는『열린 사회와 그 적들』에서 역사는 시행착오를 통해서 발전하는 것으로 보았다. 정해진 궤도를 올곧게 따라가는 것이 역사가 아니라는 것이다. 열린 사회를 닫는 이들은 분명히 열린 사회의 적들임은 틀림없다.

_ 낭만 오디세이 _

군대에 가면 군가를 부르게 한다. 구보할 때 반드시 군가를 불러야 한다.

"사나이로 태어나서 할 일도 많다만, 너와 나 나라 지키는 영광에 살았다. …산봉우리에 해 뜨고 질 때 부모 형제 우릴 믿고 단잠을 이룬다." 물론 여성도 군에 갈 수 있고 단잠을 지킬 가족이 없는 고아도 군대에 간다.

군가는 군인에게 힘과 용기와 신념을 줘야 한다. 즉 가사를 통해서 전투의 당위와 정당성, 그 숭고한 의무감을 불어넣어 용사들로 하여금 의심 없이 전장으로 뛰어들게 해야 한다.

인간 욕망은 땅따먹기의 전쟁을 그만둘 수 없게 하며, 무릇 생물은 전투하고 산다. 그래서 전쟁은 불가피한 것일 수도 있다. 여하튼 이런 역할에 충실하게 좌고우면하지 않고 달려가게 하는 것이 군가다.

글과 말은 다르다. 글로 쓰면 꼭 같은 내용이지만 말로 하면 천차만별이다. 그래서 언어의 기능도 둘로 나눈다. 그것이 구조주의 언어학자 소쉬르Ferdinand de Saussure의 랑그langue와 파롤parole 얘기다. 즉 말의 내용보다는 말투가 더욱 아주 많이 중요하다는 얘기다. 소리를 꽥 지르며 하는 말은 그 내용이 축복하는 말이라도 꾸중이나 저주가 된다.

이처럼 말은 음을 타고 전달된다. 말에도 음악이 들어간 것이다. 말투가 사실은 내용보다 더욱 중요하다. 부드러운 말씨, 겸손하고 온유한 태도, 이런 것들이 말의 내용보다 중요하다. 군가를 느리게 부르거나 서정적인 노래를 빠르게 부르면 그 반대의 효과가 나타날 수도 있다. 요즘은 그래서 글에도 이런 의미를 담고자 SNS에는 부호들이 사용되는 것 같다.

음악은 상황과 시대를 반영한다. 인간은 흥겨워서, 슬퍼서, 한이 맺혀서, 그리워서…. 모두 노래와 음악으로 그 감정들을 달래고 노래하고 풀어왔다. 국민이 즐겨 부르는 노래는 그 시대를 반영한다. 우리는 일제 시대 노래로 한을 달랬고 농부는 농부가로 어부는 어부가로 노동의 힘겨움과 고통을 달랬다. 아리랑도 판소리 춘향가 심청가도 민족의 한과 설움을 담고 있는 노래다.

북극의 펭귄은 수천수만의 무리 중에서 소리를 통해서 자기의 짝을 찾아낸다. 갈매기들의 소리, 뻐꾸기의 울음, 새들의 노래도 다 이유가 있고 의미가 있다. 그들의 감정표현이며 의사소통의 방법이다. 아프리카 밀림 원시사회에도, 심지어 동식물도 음악이 그 성장발육에 영향을 미친다고 하여 축사에 논밭에 아름다운 선율을 깔아준다.

'낭만 오디세이'는 모 방송국의 문화기행문이다. 일리아스와 오디세이, 최초의 대서사시, '트로이의 목마'는 아테네와 트로이와의 전투에 관한 얘기다. 트로이의 목마에도 왕자와 적국 공주와의 사랑, 그를 보듬을 수밖에 없는 가족애, 그리고 전쟁, 이런 삶의 극단적 구성 요소들이 얽혀있어 서사극의 요소를 충분히 갖추고 있기에 지금까지 인류의 사랑을 받고 있으리라. 우리가 인문학을 떠날 수 없고 종교와 철학을 떠날 수 없는 것은 그것이 바로 우리의 삶이기 때문이다. 인간관계는 애정과 감정이 뒤섞이고, 사회관계는 경쟁과 다툼과 전략이 뒤섞일 수밖에 없다.

이 프로그램에서 이탈리아의 악성 베르디Verdi를 소개한다. 베르디의 장례식에 밀라노 국민 50만 명 중 30만이 참석했단다. 과연 음악이 무엇일까? 오페라 「나부코Nabucco」, 〈노예들의 합창〉을 듣고 있으면 음악을 몰라도 슬픔과 열망에 젖는다. 히브리 노예들이 조국을 그리워하며 바빌론 강가에서 부르는 노래, 히브리인들은 두 번 노예 생활을 했다. 애굽(이집트) 종살이, 바빌론 유수, 베르디는 유대인들의 역사 속 시대적 고난을 음악으로 작곡하였고, 지금은 어쩌면 가장 많이 듣는 오페라가 되었다.

베르디는 낭만파 음악가로 바그너와 같은 해 태어났으며 바그너가 철학과 사상을 음악으로 표현했다면 베르디는 인간을 주제로, 인간의 삶을 주제로 작곡했단다. 그중 하나가 나부코다. 낭만파란 결국 인간이 중심의 문학 장르다. 인간의 꿈과 희망과 서정을 노래한 문학 작품들, 형식에 얽매이거나 신에 귀속되는 것이 아니라 인간이 주제가 되는 문학작품 그것이 낭만파 문학이다. 슈베르트, 쇼팽, 바그너, 브람스….

인간이 만든 음악. 관·현·타악기, 시대별로 바로크, 로코코, 고전파, 낭만파…. 장르별로는 오페라, 뮤지컬. 칸타타, 소나타, 교향곡…. 교향곡 곧 심포니는 관현악, 소나타는 성악인 칸타타와는 대비되는 기악만으로 연주되는 장르, 장중함 섬세함 가냘픔 흐느낌 환희 설렘, 음악을 알 수 있다면, 들을 수 있다면 삶은 얼마나 풍요롭고 낭만적일까? 그림을 그릴 수 있다면, 시를 쓸 수 있다면, 예술적 소양은 인간에게는 가장 축복받은 선물이다.

바람에 갈잎이 부딪히는 소리, 대나무 숲에 이는 바람 소리, 고요한 달밤 달빛이 내리는 소리까지, 물론 이런 소리도 있다. 빼곡한 음식점 자욱한 음식 연기 속에서 유독 그 분위기를 제압하고 시공간을 벗어나는 중년 아주머니들의 수다 소리, 늘 우리는 소리 속에 음악 속에 산다.

_ 시간 사용설명서 _

온종일 찌뿌둥하던 날씨가 밤이 되니 우르르 쾅쾅 소나기로 쏟아진다. 황순원의 『소나기』는 풋풋한 여린 마음들을 볏짚단 안으로 찾아들게 한 소재로서의 낭만적 비지만 이 밤 내리는 비는 오늘 갑자기 찾아온 침략군 같은 미세먼지를 두들겨 패듯 몰아갔으면 하는 염원이 비 되어 내리는 것 같다. 퇴근길 어느 때의 파란 가을 하늘은 실종되었고 공기 속엔 황사의 매캐함만이 남아 있었다.

아침에 불든 싱그러운 바람은 꼭 첫사랑처럼 떠나고 비포장도로의 먼지처럼, 지친 마누라처럼 텁텁한 내음은 저녁 길을 기다리고 있었다. 창문을 열고 빗소리를 듣는다. 갓 찾아온 가을의 입구에 서서 밤의 빗소리를 듣는다.

현대인은 늘 바쁘다. 여백의 시간, 넘쳐나는 잉여의 시간 때문에 삶에 지치는 노년도, 하루가 모질게도 긴 실업자도 있겠지만, 대다수 사람에게 잉여의 시간은 부족하다.

그러나 아무리 바쁘다 해도 자투리 시간. 잉여의 시간은 가능하다. 단 1분의 시간.

쓰레기를 버리려 나와서 바라본 밤하늘, 퇴근길 벤치에 앉아, 화장

실 다녀오는 길에, 사무원은 의자를 뒤로 젖히고, 농부는 논둑에 앉아서, 육체근로자는 일하는 동안 머릿속은 비어있을 때가 있다. 볏짚단을 나르는 동안에도 햇볕은 내린다.

강제적으로 만들어 주는 자투리 시간도 있다. 신호등 앞에 서면 30초에서 2분 정도는 강제적으로 만들어지는 자투리 시간이다.

어쩔 수 없이 혹은 의도적으로 만들어진 자투리 시간,

눈을 감고 공기의 흐름을 느끼고, 눈을 감고 풀 내음을 맡고, 혹은 나뭇가지의 흔들림을 가만히 바라보고, 혹은 하늘을 올려다보고….

어떻게 살든 삶은 빠르다. 은행잎 진자리에 다시 은행잎이 진다. 어떻게 해도 세월은 흐른다. 재벌 집 시계도, 관료 집 시계도, 국방부 시계도, 노숙자를 무심히 바라보는 길거리에 걸린 시계도 늘 시간은 같이 간다.

모든 사람에게 가장 공평한 것이 시간이란다. 하루를 분초로 나누어 사용해야 하는 이들이나 기상하면 길게 뻗은 기찻길 같은 하루가 빈 기차역처럼 기다리는 이들, 어쩌면 시간으로부터 쫓겨난 것 같은 이들에게도 늘 절대적 시간은 꼭 같이 흐른다. 세월을 잊은 듯 젊어가는 이들에게도 시간의 흔적은 어떻게든 그가 걸어간 길에 자국을 남긴다.

그렇다면 어떻게 시간을 저축할 것인가. 어떻게 시간을 사용할 것인가? 삶은 바라보면 아득한 길, 돌아보면 짧은 길인데 어떻게 시간을 저축하며 혹은 시간을 소비하며, 의식하며 살까?

오늘은 시간 속으로 잠시 들어가 보는 것은 어떨까. 그건 바로 일상에 매몰되지 않은 시간으로의 귀환이겠다. 비가 오면 가만히 빗소리를 듣는 것, 바람이 불면 가만히 바람 소리를 듣는 것, 새소리를 듣는 것. 개울물 소리…. 혹은 마른 나뭇가지에 바람이 스칠 때 가만히 그 모양을 보는 것, 과거도 미래도 잊고 현재에 가만히 머물러 보는 것, 잠든 가족의 얼굴을 가만히 보는 것, 상대가 말을 할 때 그 말의 내용이 아니라 말투와 손짓 몸짓 어감을 느껴보는 것.

어느덧 늙어버린 가족들, 어느덧 커버린 아이들…. 우린 의식하지 않고 세월을 산다. 그러다 보면 늘 세월은 저만치 홀로 가 있음을, 어느덧 한 해의 끝자락에 와 있음을 문득 느낀다.

분명히 시계 침은 1초도 건너뛴 적이 없는데도.

사람을 만나고 나면 그 사람의 잔상이 당분간 남는다. 미소 말투 웃음 표정…. 이런 것들이 영상으로 녹화되어 다시 테이프를 되감는다. 그건 아마도 같이 마주 보는 시간에 제대로 보지 않았기 때문이리라.

우리가 사람과 사물을 대할 때 우린 정말 그것을 보고 있을까? 사람을 만나지만 정말 만난 것일까? 카프카의 변신에서 이런 질문을 끝까지 이어간다. 마음으로 만나지 않으면, 가슴으로 정으로 사랑으로 같은 곳을 보지 않고 마주 보면 그건 만나도 만나지 않은 것일지도 모른다고 끝까지 질문한다.

그러나 마음으로 만나도 시간은 흐른다. 사랑하는 사람과 함께하는 시간은 더욱 빨리 시간도 시샘하듯, 시계도 눈속임하듯 바삐 가버린다. 시간 사용설명서는 없을까? 행복한 시절은 오히려 속히 흐르고 힘겨운 시간은 느리게 가는 이 고약한 시간에 대한 사용설명서는 없을까?

의식적 시간이 아니라 무의식적 시간, 어쩌면 존재론적 만남. 눈을 감아도 보이고, 눈을 떠도 보이지 않는 그런 어떤 만남, 상대방 혹은 사물 전체와 만나는 그런 만남, 주체와 객체, 주체와 대상. 하나와 하나가 전체로 만나 과거도 미래도 아닌 오로지 현재에 머무르는 그런 만남은 없을까? 그의 눈을 보는 것이 아니라 그의 전체를, 행동과 말과 표정과 몸짓과 마음속의 기쁨과 분노까지.

길가에 핀 꽃을 보지만 그 꽃의 입술과 눈물까지 보는 것….

자투리 시간. 그렇게 자꾸 만남을 연습하다 보면 바라보는 대상의 혹은 주체의 가냘픔과 외로움, 그런 모든 것들을 만나지 않을까? 분노하는 사람, 욕심에 갇힌 사람, 자존과 권위와 붙들린 사람, 늘 자기 확인에 목말라 있는 사람….

있는 그대로 보는 것, 그것을 '여여如如'라 한단다. 할 수만 있다면 그런 것이 가능한 것이라면 우린 그런 만남을 위해서, 우린 시간과 의식적으로 동행할 필요가 있겠다.

_ 귀뚜라미 일기 _

K 군! 가을밤, 또 편지를 씁니다.

담장 밑 귀뚜라미 소리가 한기를 더하는 가을밤입니다. 가을은 자기 신발이라도 현관에 많이 놓여있기를 원하는 계절이지요. 등산화 운동화 슬리퍼 구두…. 사막의 방랑자가 뒤로 걷은 이유가 자꾸만 머릿속에 떠오르는 계절이지요.

낮에 예순 지난 교수와 슬픈 한담을 나누었지요. 자다가 소변 때문에 자주 일어난다는 둥, 볼일 보고 난 다음에도 한참을 서 있어야 한다는 둥, 늙어간다는 건 참 서러운 일 같습니다.

이 밤도 생각의 끝을 잡고 가을밤과 긴 얘기를 나누고 싶습니다. 주변을 돌아봅니다. 어느 구십 세의 돈 많은, 장성급 출신 할아버지가 매주 로또를 많이 산답니다. 텔레비전에서 광고합니다. "아버지도 흔들릴 수 있다".

온 길을 되돌아봅니다. 아무래도 오만이 가장 큰 적이었던 것 같습니다. 은유로 비유로 자아에 빠진 불행한 인격, 자존의 늪, 누구의 공격도 허락지 않고 남을 비난함으로써 가냘픈 자존을 지키고, 자강自强의 성을 쌓고 성민 없는 성에 홀로 성주가 되어서….

공직 임명되면서 곧바로 어용으로 카멜레온이 되는 인간, 자신의 권력욕 명예욕은 문제없고 남의 그것은 추잡함으로 보는 인간, 사실은 모두가 정신병 환자인지도 모를 일이지요. 사람은 그의 말과 행동에서 인격과 그릇의 크기가 나온다지요. 그렇지만요. 이렇게 명백하게 하자와 흠을 가진 이들이 모여 만들어 가는 것이 또 사회이지요. 귀퉁이가 허물어진 인간들끼리 비비며 사는 것이 사회이며 이 지구요. 그렇다 해도 21세기 무한경쟁시대는 온난화, 환경파괴, 핵 등으로 어쩌면 절대적 낭떠러지로 질주하고 있는 것 아닌가 싶기도 합니다.

수십억 년이라는 세월의 기간이 무엇을 의미하는지 한번 깊게 곰곰이 생각해 봅니다. 지구의 나이요. 별걸 다 생각한다고요? 천 년 정도는 우리의 인식범위 내로, 역사 속으로 들어오지요. 그러나 만 년 정도는 조금 어렵지요. 그런데 말이지요, 억 년이란 게 뭐냐 하면 만 년이 만 개 합한 것이지요. 이 긴 기간은 우리의 인식 속으로 잘 들어오지 않습니다. 시간의 의미만 봐도 이 정도인데 공간의 의미는요. 이것이 실존이겠지요. 예수, 부처, 고작 2,500년 내 존재했던 분들이거든요.

그러나 말이지요, 이런 생각을 하는 것 자체가 인간은 특별한 존재가 아닐까요. 사람은 실존철학 하는 분들 말처럼 그냥 '내 던져진 존재'가 아니라 '생각하는 존재' '귀한 존재' 같지요.

그래서 인간에게 가장 귀한 것은 생각의 능력, 시공을 넘나드는 사고의 폭, 삶에 얽매이지 않는 유연성, 파격성, 열린 사고입니다. 흔들리며 피는 꽃은 꽃일 뿐입니다. 사람이 흔들리는 건 세상살이에 적응하는 수준일 뿐. 그것을 넘어서 흔들리지 않는, 흔들릴 수 없는 수준까지 가야 드디어 열린 수준이 아닐까요? 그렇지만 이건 또 너무 관념적이고 이상적이지요? 그럼에도 불구하고 우린 그 관념을 추구하고 이상을 바라보는 것이 필요하다는 생각을 하지 않을 수 없습니다. 사람이 인격적으로 정서적으로 성장하고 성숙해간다는 것요. 그것은 밤에 자주 일어나서 소변을 누고 잠 안 드는 시간이 오기 때문이지요. 그래서 어쩌면 슬픈 관념이지요.

구십에 복권을 사는 분은 '생각의 지도'를 펼쳐보지 않은 분 아닐까 생각해봅니다. 늘 주체만 되었지 인간도 하나의 사물, 객체, 던져진 생명, 우주의 편린일 뿐이란 생각을 하지 않는 분 같습니다. 왜 이 가을밤에도 우린 스스로 해방될 수 없는 숙명을 짊어지고 가야 할까요. 외고집 옹고집 그리고 분노와 실망 외로움 소외감 그리고 죄의식까지…. 특정한 가치관이나 주장에 붙들리지 말고 특정한 시각에도 붙들리지 말고, 밤새워 분노나 실망을 쌓지도 말고, 스스로 감옥에서 벗어날 수는 없을는지요. 우리 인간은 사고 할 수 있는 위대한 존재잖아요. 하나님의 형상을 닮은, 깨우치면 부처가 되는.

그 소망의 길이 분명히 열려있겠지요? 그 피안의 언덕이 인간이 가상하고 조작하고 도피처로 만든 것이 아닌 것은 인간의 사고능력 때문이라고 강력히 주장하고 싶습니다. 그 사고능력이 발전하여 우주의 비밀을 읽어낸 결과 이제 핵폭탄이 제조되고 스스로 멸망할 가공할

무기를 만들어 내었지만요.

가을밤이 깊어갑니다.

그래도, 그렇지만, 그런데도 우리의 삶이 축복인 것은 우리가 서로 사랑하고 그리워할 수 있다는 것 아닐까요? 왜냐구요? 가만히 보시지요. 세상의 모든 아름다움과 가치 있음은 사랑의 결과거든요. 해가 뜨고 지는 것은 우주 주관자가 사랑한 결과입니다. 아이들에게, 사랑하는 사람에게 선물을 주는 것은 사랑 때문이잖아요.

귀뚜라미 소리가 밤공기를 깰 때, 가을 찬바람이 볼을 지날 때, 공기에 파문을 일으키며 우는 귀뚜라미의 청아한 울림을 들으며 가을밤이 더 깊어 감을 봅니다. 싸늘한 달빛이라도 내리는 날은 갈 곳 없고, 설 곳 없고, 마음 둘 곳 없어 서성대는 것이 인간이지만 늘 가슴에는 사랑이 있잖아요. 그러기에 사람은 위대하다고 강력하게 주장합니다. 한 사람 한 사람이 모두가 귀뚜라미 소리를 들을 수 있는, 성경에 "귀 있는 자는 들어라"의 귀뚜라미 소리일지도 모르잖아요. 귀뚜라미가 가을을 웁니다. "창공에 작은 파문을 일으키며 떨어지는 저 오동잎은 누구의 숨결일까요."라고 읊은 시인의 심정이 이해가 되고 동화되는 밤입니다. 밤공기를 흔드는 저 귀뚜라미 소리는 누구의 애상일까요? 밤이 깊고 소리 또한 깊어갑니다. 우린 이 밤 그래서 또 행복에 젖습니다. 잠든 풀잎들과 잠든 새들의 숨소리를 들으며, 행복한 밤 되시지요.

_ 육십 즈음에 _

김광석의 노래 〈서른 즈음에〉가 있다. "점점 더 멀어져간다. 머물러 있는 청춘인 줄 알았는데…… 매일 이별하며 살고 있구나"

그런데 그 곱절인 '육십 즈음'에는 어떤가? 육십이 주는 의미는 뭘까? 환갑 진갑 다 지나면 뒷방 늙은이로 무대에서 은퇴하고 소외되는 것이 이전의 사회상이고 나이에 걸맞은 겸손한 처신이었다면 요즘은 좀 달라진 것 같다. 대통령도 삼부요인도 '이 나이 즈음'에야 그 중요한 직을 담당한다. 은퇴하고 소외되는 나이이기도 하지만 삶의 지혜와 연륜과 경험을 결정체로 만들어 사회에 더욱더 중요한 키 맨의 자리에서 봉사하는 나이이기도 하다는 의미이다.

물론 일반적으로는 사회적 역할에서 밀려나는 자리이다. 공영방송 텔레비전 채널을 켜면 육십 대를 위한 방송은 거의 없다. 볼 것이 없다. 드라마는 시들하고 토론 프로그램은 늘 유사한 패턴을 반복할 뿐이다. 고작 보는 것이 뉴스와 외국 기행프로그램과 은퇴하고 자연으로 돌아간 분들의 얘기 정도다. 그 외 프로는 모두 아이들 놀이 같아서 잘 보지 않게 되는 것이 대중방송이다. 이 정도가 육십의 나이에 대한 사회적 인식과 대우이며 육십 즈음의 운신 폭이다.

물론 대중문화에서 밀려났다고 해서 살펴본 바와 같이 사회에서 혹은 사회적 역할에서 밀려난 것은 아니리라. 기업과 국가의 방향을 결정하는 최고 결정자의 자리는 육십 즈음에야 가능하고 또 국민이 보기에도 그 정도의 연륜과 경험은 있어야 든든해 보인다. 따라서 밀려난 세대가 아니라 주인공의 세대일지도 모른다. 오십에서 칠십까지, 아마도 가장 결실을 보고 꽃을 피워야 하는 나이가 아닐까.

이런 사회적인 포지셔닝Positioning을 떠나서 육십 즈음의 신체적 역량에 초점을 맞추어 보자. 육십 즈음은 기억력도 감성도 열정도 육체적 활기도 떨어지지만, 순수한 마음만은, 의지만은 다시 시작하는 나이, 다시 출발하고 싶은 나이이다. 삶을 한 바퀴 돌고 다시 시작하는 나이, 한 바퀴 돌아보았기 때문에 이제 좀 더 잘할 수 있겠다 싶은 나이이다. 90을 넘긴 김형석 교수라는 분은 산다는 것은 육십 중반에서 팔십까지가 제일 좋았다고, 그 나이쯤이 산다는 것의 의미와 가치와 재미를 느끼는 나이였다고, 그때부터 사는 것이 뭔지 좀 알겠더라고, 세상사 작은 유혹에 흔들리지도 않고, 무슨 일이 더 중요한지도 순서도 알겠고, 일어나는 일들의 의미도 파악하겠고…. 아이가 울면 할머니는 왜 우는지 안다. 세상사 이치를 깨달아 가는 나이이다. 이제는 돌아와 거울 앞에 선 내 누이 같은 나이가 육십 즈음이다. 작은 분노, 무리한 열정, 젊음의 치기는 잊은 지 오래된, 성숙하고 완숙하는 단계, 어지간한 일들에는 중심을 잡은 나이, 크게 동요되지도 흔들리지도 감동하지도 분노하지도 않는 나이, 그렇게 익어가는 나이, 어떤 노철학자의 말처럼 드디어 삶의 참맛을 알아가는 나이이리라. 삶도 맛이라는 게 있다면, 묵은 된장에서 깊은 맛이 난다면 아마도 이즈음의 나이에서 이제야 시작되는 것이 아닐까? 세상을 한 바퀴 돌아, 이미 돌아보았기 때문에 더는 특이한 궁금증이나 호기심도 그리 많이 남아 있지 않은 나이이다.

그런데 왜 아직도 그리움이 일고 왜 아직도 아쉬움이, 지우지 못한 미련과 분노와 회한과 안타까움이 일까? 그런 것들이 모두 어느 정도는 허상인 것도 아는데, 그것이 허상인 것을 아는 것은 이미 경험으로 체득하였는데, 그리움이라 하더라도 그것이 실체가 없는 것을 아는데…. 그리움은 '아직 가깝지 않은 그 무엇에 대한 욕망'이다. 가까이 다가서면, 그리고 같이 머물게 되면 그건 이미 그리움이 아닌 것을 안다. 어쩌면 불편함이나 되거나 혹은 편안한 낯섦 같은 것이 된다는 것도 경험을 통해서 확인해 봤다. 물론 그리움, 비록 그것이 우리 두뇌가 만드는 허상이라 할지라도 그것 때문에 산다는 것도 안다.

그래서 이제는 '그리움의 실체, 허상' 운운하지 않고 그리움 자체를 얘기해야 하고, 그것이 즐겁고 유익하고 그것이 '사는 것'이라는 것을 알기에 다시 쓰는 그리움을 더욱 깊게 하고 싶은 것이 사실은 육십 즈음이다.

"동짓달 기나긴 밤 한 허리 베었다가 님 오시는 날 서리서리 펴리라"를 읽으며 혹은 "언중운산에 어 내 님 오리마난 지난 잎 부난 바람에 행여 권가 하노라"를 음미하며 아직도 가슴에 남은 그리움의 형체에 가슴 따스한 감상을 느끼고 싶은 나이가 육십 즈음이며 그 육십 즈음을 우리는 사랑해야 하고 사랑하고 싶은 것이다.

분노, 좌절, 실망, 안타까움…. 모두 마찬가지이다. '육십 즈음'이면 사라질 것 같은 것들이 늘 삶의 언저리에서 떠나지 못한 미련처럼 서성인다. 그것 때문에 '사는 것'은 '사는 것'이란 것을 거르지 않는 식사처럼 늘 알려주면서.

오랜만에 노래방을 들렀다. 육십 즈음에 다섯이 모였다. 모두 육십 즈음이다. 식사하고 차를 마시고 노래방을 들르고, 이 나이에는 잘 가지 않는 것이 노래방이다. 목소리도 에너지도 쉬고 싶은 나이다, 고음이 나지도 않고 음정 박사도 잘 안 맞고 흥도 많이 준 나이이다. 노래 곡목 선정은 희미한 불빛 아래 주인이 골라준, 벽에 붙어 있는 노래목록 정도면 충분하다. 그래서 삼십 즈음에 부르던 노랫가락 몇 개 반주기에 맞춰주다가 되돌아오는 것이 육십 즈음의 노래방 기행이다.

"첫눈이 내리는 날 안동역 앞에서 만나기로 약속한 사람 / 안 오는 건지 못 오는 건지…."
'안동역'은 한 때 중년들의 사람을 듬뿍 받은 애창곡이었다. 눈은 내리고 님은 오지 않고, 중년이 기다리는 님이 어떤 님인지는 알 수 없지만, 다시 만난 이성의 사랑인지, 애초부터 오지 않을 것이란 것을 알면서도 기다리는 지난날의 꿈인지, 흘러간 옛 시절에 대한 그리움인지….

오지 않을 것을 미리 알면서도 기다리는 마음, 우린 그것이 애창곡이 되는 이유임을 안다. 산다는 것은 기다림 자체가 의미라는 것도, 기다리는 동안의 설렘과 부푼 기대, 혹시나 했더니 역시나로 바뀐다 해도 오지 않았을 때의 실망감과 허전함 또한 우리의 삶을 더 깊게 하는 요소들임을 알기에, 오지 않을 것을 알기에 기다리지도 않거나 눈 내리는 밤 역 앞을 기웃대지도 않는 것은 시도 음악도 소설도 연극도 모르는 메마른 살아감이라는 것을 알기에, 이 얼마나 아름다운 나이인가? 이 얼마나 깊은 낭만의 나이인가. 가을보다 깊은 계절이 없듯이….

그리움에의 열정은 더욱 깊어지고, 낭만적인 노래를 트럼펫 소리를 섞어 멋지게 부르고 싶은 나이, 텔레비전을 볼 것이 없는 나이가 아니라 더욱 깊고 섬세한 드라마를 목말라 하는 나이, 육신의 능력이 감소한 만큼 정서적 열망은 상대적으로 더 깊어지는 나이, 육십 즈음의 사랑은 혈기 있는 나이의 사랑과는 비교도 되지 않으리라. 그건 나를 확인하는 사랑이 아니라 상대를 이해하는 사랑이다. 육십은 이제 드디어 사랑할 준비가 되었지만, 그 성숙함을 채울 대상을 찾지 못해 그래서 더욱 허허로운 나이다. 사랑을 하려면 육십 즈음에 할 일이다. 심성도 감성도 애정도 우정도 우애도 더욱 곰삭듯 깊어진 나이에 할 일이다. 그래서 육십 즈음이 사회의 중심이 되는 이유다.

물론 육십도 항상 그리 낭만적이지만은 않다. 가족관계, 경제문제, 건강문제, 자녀문제…. 열정은 식어 가지만 뭐하나 만족한 것 없는 나이. 그럼에도, 그리하여, 그래서, 다시 육십 즈음으로 돌아가자, 비록 삶이 그대를 속일지라도. 돌아가고 싶은 그 나이 육십 즈음으로….

_ 불편 대화법 _

대화!

그게 참 어렵다. 우리는 매일 사람을 만난다. 직장에서의 인간관계든 개인적인 관계든 우리는 관계를 맺고 산다. 사회적 관계 친인척 관계, 가족법 관계이든 민법 관계든…. 아이들의 대화는 신선하다. 신선한 부분이 대단히 많다, 그러나 어른이 되어가면서 대화가 늘어진다. 시시콜콜한 이야기서부터 개인의 신상까지, 애들은 이런 얘기 잘 하지 않는다. 그래서 어른이 되면 대화가 재미없어진다. 아이들이 보면 어른들은 참 지겹고도 소모적인 말놀이만 하는 것으로 보일 수도 있으리라. 아이들은 몸으로 놀이를 하지만 어른들은 말로 놀이를 한다. 어른이 되어 말놀이를 하다 보니 피곤한 일이 많다. 아니 피곤을 주는 일이 많다. 말로서 상처받고 말로서 상처를 준다. 내용이 없는 지겨워지는 대화에는 참석하고 싶지 않아서 모임도 준다. 도움이 되는 말, 생산적인 말, 흥미 있는 말, 미래지향적인 말, 이런 말들을 하는 것이 아니라 관심 없고 소모적인 개인 일상사를 말하기 시작하면 서로가 지친다.

말로서 상처 주고 상처받는 말의 유형을 나누어 보자. 이렇게 하는 데는 자신을 돌아보기 위한 목적이 더 크다. 이름하여 불편을 주는 대화법, 상대방을 지치게 하고 듣는 다수를 고문하려면 이렇게 하면 된다.

우선 '자기 중심형' 대화를 하자. 상대를 지치게 하려면 지속해서 본인 주변 얘기, 자신의 일신상의 사소한 문제를 끝없이 얘기해대면 된다. 타인의 말은 중도에서 끊고 들어가고 또 상대의 말에는 귀도 열어주지 않으면 된다. 이건 대단한 지식이나 탁월한 시각 견해라도 마찬가지다. 정말이지 지겹게 끝도 없이 해대면 된다. 개인의 감정 경험 신앙까지…. 이런 분은 밤을 지새워도 할 말이 남고 그것을 다 들어주는 것은 참으로 긴 인내심과 깊은 수도와 도량을 필요로 한다. 이런 대화도 남다르거나 특이한 시각을 갖거나 흥미롭거나 지식 아니고 지혜가 들어 있거나 하면 좀 낫다.

'자기 우월감(잘난 체) 형' 대화를 하자. 이 대화법은 은연중 자기 자랑을 계속해대면 된다. 나 잘난 맛에 사는 사람이 되면 된다. 누구나 조금은 나르시시즘적이긴 하다, 거울을 하루에 열 번을 보건 보지 않건, 자신이 똑똑하고 주변에서 인정받고 우월하다는 의식, 자식 자랑, 집안 자랑, 친구 친척 자랑까지, 혹은 재산이나 소득이 높다는 것까지 숨겨진 의도를 끝없이 토설해 내면 된다. 나아가서는 하나님이 나를 사랑하고 은혜를 주신 자랑까지(이건 어쩌면 교회에서는 적극적으로 권장하는 내용이다). 주의할 것은 대놓고 자랑하진 않아야 한다. 그래도 상대방이 듣다 보면 모두 자기 자랑인 줄을 안다, 나아가 대화를 듣는 상대보다 한 수 위라는 것, 인정받고 능력 있는 사람이라는 것, 뭔가 다르고 특이하고 우월하다는 것 이렇게 은연중 자랑하면 된다. 물론 당연히 상대방을 압도하고자 하는 의도를 숨겨야 하지만 상대방은 안다. 이렇게 하면 상대는 주눅이 들고 불편하여 반드시 떠난다. 이렇게 가다 보면 조금 고독해지는 것이 흠이다. 이 경우에는 조금 극단적으로는 상대를 직접 비하하는 말까지 하거나 공격을 하기도 해야 한다, 그리고 술자리에서 난투극 정도는 생각해야 한다. 이렇게 하면 결국 자존감이 너무 높아 하늘에 사는 사람이라고 다른 사람이 인정해준다. 신앙으로는 하나님을 믿는 자아를 하나님보다 더 높이 평가하는 사람이 되거나, 학식으로는 스스로 지혜와 지식에 파묻힌 사람이 될 수 있다.

'상대 묵살형' 대화를 하자. 이 대화법은 은연중 상대방을 비난하면 된다. 나무라거나 투정하거나 무시하는 듯하게, 한 톤 높게 핀잔 주듯 꾸중하듯 말하면 된다. 이런 사람 옆에 있으면 자꾸 주눅이 든다. 뭔가 잘못하고 있는 것 같고, 기가 죽고 풀이 죽는다. 남자나 여자나 기가 살아야 밖에 나가서도 기운이 사는 법이다. 집안에서 기가 죽으면 밖에 가서도 잘 못 한다. 잘 안된다. 천지에는 기운이라는 것이 있어 기가 모여들고 머물러야 재산도 지위도 보강된다. 그래서 상대를 신통찮게 만들려면 늘 기를 죽이면 된다.

'시시콜콜형' 대화를 하자. 이 대화법은 진짜 중요한 것들은 제쳐 두고 시시콜콜한 사회적 문제에 목숨 걸면 된다. 물론 말하는 당사자에게는 시시콜콜하지 않다. 끝없이 정치 얘기를 해대거나, 세상 것들은 모두 잡것들이요, 정치인은 더 나쁜 새끼들이며, 세상 모두 잘못되었고, 다 정신 나간 놈들이라고 말하면 된다. 그런데 이렇게 말할 때 사실은 자신도 매우 별 볼 일 없는 사람이라는 게 조금 찔린다. 말 잘하는 정치인 앞에서는 논리적으로 비교도 되지 않을 정도인 줄 알면서 정치인 본인 앞이 아니면 그들을 바보 멍청이라고 하면 된다. 어느 택시기사가 토론회 배석하러 나와서 정치인을 싸잡아 비난하다 토론자에게 호되게 당하는 것을 본 적이 있다. 택시라는 소왕국에서는 자신이 제왕이었을지 몰라도 넓고 치밀하게 핵심을 공격하는 토론자에게는 꿀 먹은 벙어리로 창피를 당한다. 그러니까 잘난 체도 장소와 때를 좀 가려야 하는 번거로움이 있다.

'타인비난형' 대화를 하자. 이 대화법은 제 똥은 밟고 있으면서 남 구린내를 나무라는 사람이 되면 된다, 내 눈의 들보는 보지 못하고 남의 눈의 티만 보면 된다. 남을 씹는? 맛에 살면 된다, 이 사람은 이게 문제이고 저 사람은 저게 문제이고, 모든 사람이 모두 문제가 있다고 늘 말하면 된다. 누구나 문제 있다고 말하는 본인도 온갖 문제투성이라는 것이 조금 켕기기도 한다. 자존감이 높거나 안하무인격이거나 오만하거나 나아가서는 무식하거나 이렇게 보이도록, 남의 흉보는 재미가 최고다. 또 과도하게 분석적인 것도 괜찮다. 매우 논리적으로 대상을 분석하는 것처럼 보여야 한다.

'용감무식형' 대화를 하자. 이 대화법은 무식해서 용감하면 된다. 이 형이 가장 문제다. 지식이 부족하고 말솜씨가 없어 조리 있게 말은 못 하지만 행동은 먼저 한다. 위아래, 나설 곳 삼갈 곳도 모르고, 대화에 끼어들면 전혀 엉뚱한 화제를 가져와 주변을 갑자기 조용하게 만든다. 화제진압형이다. 보통 이런 형을 '또라이'라 부른다. 또라이 소리 듣고 싶으면 이렇게 하면 매우 효과적이 된다

'만사 부정형' 대화를 하자. 이 대화법은 말만 시작하면 모든 것이 잘못되었고, 앞으로 세상 미래는 전혀 희망이 없다고 말하면 된다. 돈 권력 명예 사회구조 조직 기업 학교 뭐 하나 제대로 된 것이 없고 희망적인 것도 없다고 거품 물고 말하면 된다. 그리고 암울한 세상에서 미래 없이 살면 된다.

'사생결단형' 대화를 하자. 이 대화법은 작은 일에 목숨을 걸면 된다. 조금 불편했던 것. 차별 대우, 말의 상처, 아주 사소한 물질적 손해. 별 중요하지 않은 일에 열을 내고 최선을 다해서 목소리 키우고 최선을 다하면 된다.

'유체이탈형' 대화를 하자. 이 대화법은 본인 말에 책임지지 않는 유형이다. 꼭 내일을 남 말하듯 하면 된다. '그땐 그랬지'형. 이렇게 세상 편하게 살면 된다. 건넛산 불구경하듯 자기의 일을 타인의 일처럼 말하면 된다. 본인은 어디 가고 타인이 주인이 되어있는 것처럼. 그런데

이건 일명 무당형이라 불릴 수 있는 위험이 다소 있다.

'순진무구형' 대화를 하자. 이 대화법, 이건 너무 착해서, 너무 우유부단해서 남이 깔보는 형이다. 말이 늘 부드럽고 유하고 화낼 줄 모르면 된다. 타인은 편하지만, 본인은 그 상처 혼자 다 받는다. 늘 져주고 당하고 살면 된다. 이건 유일하게 남을 피곤하게 하는 형이 아니라 내가 피곤해지는 형인데 사실 이건 더 머리 아픈 형이다. 남을 피곤하게 하지 않으려면 내가 피곤해지니 사실 해법이 별로 없긴 하다.

'호전형' 대화를 하자. 이 대화법은 늘 쌈박질하려고 덤비는 형이다. 시빗거리만 찾는 형이다.

기타 등등 상대를 지치게 하는 대화법은 매우 많다. 어른들은 매일 이렇게 하고 산다.

위 유형에 예외인 사람이 있을까? 그렇다고 포기하거나 외면하거나 무심하면 결국 외톨이가 되고 인격장애로 갈 위험이 있지 않을까?

난 위 어떤 유형에 속할까, 모든 형에 모두 속한 것 같다. 그래서 주변에 어떤 고난(?)을 줬을까. 위 유형 어디든 들어가지 않으려면 침묵해야 하는데, 침묵만 하려면 산으로 가든 수도사가 되든 해야 하므로 인간사가 아니다. 그래도, 그럼에도 위 유형에 최소한만 접근한 분들도 꽤 많다. 이런 분들은 자꾸 만나고 싶지만 바쁘신 분들이 대부분인 것이 문제다.

_ 하늘만큼 땅만큼 _

엄마가 아이에게 묻는다. "엄마 좋아해?" "얼마만큼?", 아이가 대답한다. "하늘만큼 땅만큼", 아이야 그 정도면 충분하다.

중년 부부간에 "당신 나 사랑해?" 라는 질문에 상대가 "하늘만큼 땅만큼"이라고 답변했다가는 그것이 면피용이거나 혹은 위기 모면용이라는 것으로 그 상대는 충분히 이해한다. 혹은 "내가 뭘 잘못했어?" 이것이 중년의 일반적인 대화다. 결혼기념일, 생일 선물을 놓쳤거나 혹은 멍청한(?) 남편이 가정사가 어떻게 돌아가는지 전혀 몰랐다는 얘기다.

'사랑'이라는 것이 과연 무엇일까?

우린 사랑이라는 단어를 과연 그 뜻을 알기나 하고 사용할까? 사랑이라는 단어를 어떻게 정의할 것인가? 사랑이란 것을 정의하면서 '사랑은 무엇이다.'라고 표현하면 이미 완전한 표현이 아니란다. '정의하는 것'보다는 '서술하는 것'이 낫단다. 즉 '사랑은 눈물의 씨앗'이라는 표현은 '사랑보다 더 깊은 게 정'이라고 표현하는 것보다 못하단다.

왜 그런지를 다시 살펴보자. 최고조로 서로 사랑하는 사이의 연인이 있다고 가정하자. 이들은 상대에 대한 마음을 어떻게 표현할 것인가? '사랑한다!' 이 정도 말로 마음들이 모두 표현되었다고 생각한다면 진정한 사랑 한번 안 해 본 사람일지도 모른다. 그래서 또 "얼마만큼?"이다. "하늘만큼 땅만큼!" 물론 요즘 이렇게 표현하는 유물 같은 젊은이들이야 없겠지만.

어쨌든, 그래서 사랑의 정도를 표현하라면 "말로 표현하지 못한 만큼", "그런 걸 꼭 물어봐야 돼?" "그것을 말로 표현해야만 알아?" 혹은 "지난번 여친보다는 더!" 이 정도가 그래도 어느 정도 비슷한 답변이 아닐까 싶다.

말의 한계와 말의 무용론에 관한 얘기다. 잘못 표현했다가는 표현하지 않음보다 못하거나 혹은 상대에게 실망을 더 안겨줄 수도 있다.

중년 남성의 "난 당신을 사랑해"라는 말은 정말 오랜 세월 같이 살아준 부인에 대해 고마움의 표시로 어렵사리 꺼낸 말일 수 있는데, 부인은 저 양반이 이제 나이 들더니 노망이 났는가 하고 생각할 수도 있다. 물론 친구 빚보증을 섰다가 이 말부터 끄집어 내놓고 시작하는 경우도 있겠다. 꼭 같은 말이라도 말하는 사람의 의도는 또 전혀 다를 수 있다는 얘기다.

"~내용과 부합하지 아니한다."라고 강의를 했더니 질문이 쏟아진다. '부합하는 것' 아니냐고, 설명이 틀렸다는 것이다. 원인을 본 즉 부합附合과 부합不合의 차이이다. 이러니 같은 용어인데 반대의 의미가 될 수밖에 없다. 학생의 질문도 선생의 설명도 틀리지 않았다. 왜 같은 말인데 전혀 다른 뜻일까.

법률용어에서는 '내심의 의사'와 '표시된 의사'가 다른 경우를 '의사와 표시의 불일치'라 하고 대표적인 것으로 '착오'가 있다. 계약에서는 대단히 중요한 문제이다. 그 착오 때문에 세상이 뒤바뀌기도 하고 개인 간에 원수가 되기도 한다. 진심이 전달되지 못하는 것, 말하는 사람의 의사와 생각이 제대로 전달되지 못하거나 왜곡되면 국가 간 전쟁이 발발하고, 아군 간에 소통이 되지 못하면 전투에서는 패하고, 개인 간에는 분노와 감정이 묵은 된장보다 깊게 쌓인다. 말하는 사람이 잘못 말한 것이 아니라 듣는 사람이 잘못 이해하는 경우도 있고, 다소 애매한 표현은 여러 가지로 해석될 수도 있어 아전인수격으로 해석거나 완전히 반대의 경우로 이해하는 경우도 있다. 말의 불완전성에 관한 얘기다.

왜 이런 문제가 늘 발생할까? 말이나 글이라는 것이 전달과정에서 본 의사가 변질하고 뒤바뀌고 빠지고 잘못 표현되고 잘못 이해된다.

그래서 이렇게 생각해보자. 말이나 글이라는 도구를 통해서가 아니라 마음이, 생각이 바로 상대에게 전달될 수 있다면, 그러니까 생각이 말로 바뀌어서, 말이나 글이라는 수레에 실려 전달되는 것이 아니라 생각이 상대방에게 바로 전달될 수 있다면 이런 문제는 사라질까? 물론 생각이 모두 여과 없이 상대에게 전달되면 더 큰 혼란(?)이 올 수도 있겠지만, 오해를 풀기 위해 또 말을 하다 보면 또 그 말 때문에 더 큰 상처를 받기도 한다. 말은 이처럼 유용하면서도 또 얼마나 거추장스러운가.

구조주의 언어학자들은 말의 이점에 착안한다. 인간이 언어에 갇혀 버렸단다. 생각을 말로 표현하는 것이 아니라 사람이 말에 갇혀 주객이 전도되었단다. 나아가서는 생각까지도 말로 표현할 수 있는 것만 생각하게 된다는 것, 결국 '생각도 내 맘대로 못해'가 되어버린다는 것이다.

우리는 표현할 적당한 말이 없어 답답함을 느낀 적이 많다. 국어학자나 시인들은 그나마 이 한계로부터 조금 벗어난다지만 근본적으로 누구나 말에 갇혔다. 논리적 이성적 말에 능한 이들은 법률가 변호사다. 말의 한계 때문에 은유와 비유가 생긴다. "귀 있는 자는 들어라", '염화시중의 미소', '선문답'은 말의 한계를 설명하는 사건들이다. 그러나 우린 이 말의 한계를 의식하지 않고 서로 간에 소통하며 산다. 말의 기능을 믿으며 표현할 수 있다고 착각하며 착오의 인생을 사는 것이다.

그러니 남편들이여, 여친들이여, 이제 말로 뭘 때울(?) 생각은 그만두자. 부인에게 사랑한다고 말해서 뭔가를 얻어내거나 사건을 무마시키려고 한다면 아직도 그는 언어초보자다. 이럴 때는 금일봉이나 혹은 백화점 상품권이나 처가 집에 선물이 더 효과적이다. 하다못해 부인의 어깨를 주물러주든 돈 봉투를 더 두껍게 하든. 이것은 유물론자 혹은 물질만능주의자의 말이 아니다. 말의 효용성, 아니 무용성을 이해한 사람의 말이다. 말이 효용성이 없다고 하면서 지금 쓰는 이 글은 또 무어냐고 당연히 반문하겠지만, 여하튼 그렇다는 얘기다.

노사연 노랫말 중 이런 것이 있다. "지친 나를 꼭 안아주면서 사랑한다고 말해주면 비록 가시밭길이라도 꽃길로 생각하겠다"고. 아마도 이 노랫말은 그냥 노랫말이거나 혹은 말의 무용성을 역으로 노래한 것이 틀림없을 것이다.

그러니깐, 그래서, 그러므로, 그렇기에 오늘 저녁 귀가할 때 부인에게 자녀에게 혹은 부모에게 말로 하지 말고 돈으로 선물로 하자. 지금 이 말의 효용성에 대한 시비는 예외로 하고….

— 결혼!
어떻게 생각하십니까? —

결혼시즌이다. 결혼도 야외에서 했으면 좋겠다. 빌딩 사이를 찾아다니느라 가을이 다가는 줄도 모른다

친구 아들이 결혼도 하지 않고 여자 친구 자취방에서 같이 기거한단다. 결혼을 합의하지도 않았단다. "너무 하는 것 아니냐?"고 아비가 말했더니 아들이 "뭔 소리냐?"고 무슨 "조선 시대를 사느냐"고 했단다. 그건 시대가 바뀌어도 그러면 안 될 것 같은데, 요즘은 이렇게 말하면 두루마기에 갓 쓴 사람 취급받는다.

영국에서 유학한 분이 그랬다. 그쪽은 16세만 되면 독립할 생각을 한다고, 부모와 같이 살아도 생활비를 내야 하고, 성인이 되면 남자 친구를 집에 데리고 와서 살기도 하는데, 만일 애를 낳고 헤어지면 아이는 국가에서 키워준단다. 애가 우선이기 때문에 집도 주고 생활비도 주고, 그러다가 애 엄마가 또 다른 남자 친구가 생기면 지원은 끊어지고, 직업에 차이를 두지 않기 때문에 굳이 대학을 졸업하거나 사무직을 원하거나 높은 직위를 원하지도 않는단다. 양복점, 이발사, 구두 수선공…. 이런 기술직들이 최고의 직업이라고 한다.

십수 년 전에 유럽 여행을 갔었다, 영국, 프랑스, 스위스, 이탈리아,

참 좋았다. 그 나라의 풍광과 문물, 역사…. 잊을 수가 없다. 그 당시 버스 기사는 이혼을 했었고 매월 양육비를 보내고 있었다. 이런 형태가 특이한 것이 아니고 다반사라 했다.

가이드가 그랬다. 여기는 결혼 전에 남자 친구, 여자 친구를 깊이 사귀는 것이 당연하다고, 한 번도 연애 경험이 없는 처녀, 총각은 좀 문제가 있는 것으로 본다고. 길거리에서, 공원에서, 에스컬레이터에서 젊은이들이 포옹하는 것은 일반적이었다. 혼인신고는 대부분 하지도 않고, 동거하면서도 신고만 하면 애들은 얼마든지 호적에 올려주고, 동거하는 쌍에게도 결혼한 부부와 거의 동일한 혜택도 주고, 여하튼 문화충격이었는데 지금 우리가 그대로 따라 하고 있다.

이건 이전에 갓 쓴 노인네들이 보면 이런 남녀관계는 사람이 할 짓이 아니다. 사람인데 어찌! 그리고 기독교 윤리관으로도 그건 용인되지 않는다.

그런데 가만히 생각해보면 재미있다. 가만히 생각해보면 평소 당연한 것들이 전혀 당연해지지 않는 것들이 많은 것을 알게 된다. 조선시대에는 잘사는 양반들은 첩은 기본이었고, 특히 임금은 손녀딸 같은 부인을 두기도 하였다. 국가 최고의 권위를 가지신 분이 이렇게 솔선수범을 보였다. 우리가 가장 존경하는 세종대왕도 크게 다르지는 않았다. 그것이 일반적 궁궐의 법도였으니, 고려 시대는 근친혼도 인정되었다. 그러면서도 조선은 남녀칠세부동석, 과부 재혼금지, 부부유별…, 뭐가 윤리이고 도덕이고 삼강오륜일까? 조강지처를 버리는 것은 죄악이니 버리지도 않고, 그렇다고 찾지도 않은 것은 더 비인간적이다. 질투는 칠거지악이라 하고, 인간을 제도에 맞췄다. 사회제도적으로는 깡패 수준이었다. 다리를 잘라서 침대 길이에 맞추는 꼴이었다. 그게 조선의 법도였는데 뭔 서양을 욕할 것인가.

일전에 보여준 프로그램에서 미국 부부가 결혼하고 아이를 낳고 양육하다가 이혼을 하였는데, 이혼한 남편이 재혼한 전 부인 집을 찾아가 새로운 남편, 아이 이렇게 넷이서 같이 식사를 하는 모습을 보여줬다. 아이 교육은 생부와 의붓아버지가 같이 시킨다. 물론 홀로된 전 남편도 현재 여자 친구를 찾는 중이니 이상할 것도 전혀 없단다.

도대체 결혼제도에 대해서는 뭐가 옳은 것인지, 무엇이 바람직한 것인지? 아니면 옳고 그름도 없고 다를 뿐인지? 인류가 가장 많이 읽은 책 성경에서 사도 바울은 그랬다. 가능한 결혼하지 말고 혼자 살라고, 물론 그는 예수가 곧 재림할 것으로 생각하였기 때문이기도 하겠지만 그래도 그건 아닌 것 같다. 무릇 생물은 짝이 있는 것이 우주 법칙이다. 산비둘기를 보면 늘 한 쌍이 같이 다닌다. 어디 그렇지 않은 동물들이 있던가? 심지어 식물도 암술 수술이 만나야 수정이 되고 열매를 맺는다. 중신아비 나비와 벌까지, 그게 우주의 법칙이고 종족보존을 위한 필수조건이다.

사람이 이성 간의 관계 설정에서는 동식물보다 별로 나은 것 같지 않다. 동물들은 일부일처제를 잘 지키거나 혹은 애초부터 닭이나 호랑이 같은 동물들은 일부다처제로 틀지어져 있다. 그들은 생태적 습성을 그대로 따르지 인간처럼 윤리 도덕 잣대를 들이대지 않는다. 그러고 보면 인간도 원래는 동물인 사자나 호랑이 수준 같다. 힘센 놈, 이긴 놈이 모두 차지하는 법칙, 차마 그럴 수 없어서, 사회계약 혹은 무지렁이 다수의 힘에 밀려서 어쩔 수 없이 일부일처제? 고려 무신정권 '정중부'부터 시작된 최 씨 일가의 백여 년, 그들은 아녀자도 마음에 들면 자기 것으로 했다. 어디 그 정권뿐이랴.

김정은이 참 대단한 인물이라고 공영방송에서 재평가한다. '장마당' 전국적으로 확장, 시장경제도입, 시장부활, 경제활성화, 국가에 납부할 공물량의 기준을 정해주고 그 이상의 소출은 개인 소유를 인정했으니 죽기 살기로 생산물을 늘린다. 그리고 핵, 수소 폭탄으로 국가 자립도 완성. 경제와 무력, 정확하게 요점을 잡고 무자비한 폭력정치로 최고의 효율성을 만들어가고 있다.

왜 갑자기 김정은 얘기냐고? 외강내풍, 이것이 국가 운영의 최고 전략 아닌가, 이런 철권통치자에게 윤리 도덕, 일부일처제 등등을 요구하는 것이 과연 상식적이겠는가? 최충헌은 더욱 무자비하였다. 물론 최충헌 김정은이 일반적 기준이라는 얘기는 아니다. 인간은 동물보다 좀 나은 이성이라는 것을 가지고 있을 뿐, 역사적으로 실제적으로는 별 차이 없어 보인다는 뜻이다. 인간역사, 인간 세상은 윤리 도덕이 지배하지 않았다. 힘과 권력이 지배했다. 윤리 도덕은 그들의 통치권의 정당성을 만들어 주는 도구로 사용된 부분이 많다. 지금도 그렇다.

성경 얘기로 다시 가보자. 성경의 내용은 성적 순결성을 강조한다. 소돔과 고모라, 솔로몬, 모두 성적으로 문란한 시대의 종말에 관한 얘기다. 동물들은 예외다. 그들에게는 윤리 도덕이라는 것 만들어 주고 지키지 않는다고 벌하고 그러지는 않는다. 사람은 본성은 지키기 어렵게 만들어 놓고 지키지 않으면 벌한다. 그건 성경적 사랑 방법이다. 성경에는 이런 내용도 있다. 투기 투정하는 부부가 같이 사느니 차라리 혼자 사막에서 사는 것이 낫다고.

결혼은 '서로 길드는 것'이다. 참고 살아라. 맞춰라. 반품은 안 된다. 옳다. 그러나 그건 주례사로서 당연히 해야 할 말씀이고, 어쩔 수 없으면 나누는 것도 기본권의 행사다. 인간의 기본권. 그 누구도 그 당위성에 대해서는 이론을 제기할 수 없는 당위성 말이다. 나름대로 결론이라는 것 한번 내보자. 지혜롭고 신중하게 짝을 골라야 하고, 가능한 한 혼자 살지 말고 결혼을 하려고 노력하며, 결혼해서 살면서도 가능한 참고(빌 클린턴이 외도해도 힐러리 부부는 산다, 그분 대단히 똑똑한 분이다) 그러나 정말 잘못되었다면 성경 말대로 혼자 살 일이다. 물론 자녀들까지 고려하고 판단해서.

결혼 어떻게 생각하십니까? 그건 숙제다.

_ 빗장 열기 _

"당신은 지금 자신의 삶에 만족하십니까?"
"사회적 자아에 만족하십니까?"
"혹은 자족하시는지요?"

사회적 지위와 주변의 자신에 대한 평가, 혹은 자신이 일궈놓은 부와 권력과 영향력… 이런 것들, 곧 사회적 자아에 대해 만족하는가? 아마도 대다수는 만족하지 못한다고 하거나 혹은 만족한다고 말하는 이들도 어쩌면 자기 위안의 차원이거나 외부포장용일 가능성이 높다.

자족한다는 것, 그게 그리 쉬운 일은 아니다. 지금까지 쌓아온 업적, 사회적 기여도, 자신의 권위와 영향력, 이런 것들에 기대만큼 사실상 만족하는 이들이 얼마나 될까. 만족보다는 불만족이, 자신의 발전을 물론 사회적 발전의 원동력이 된다. 욕망, 욕구, 의욕이 없으면 자아와 사회의 발전은 기대하기 어렵다. 사람은 욕망하는 존재, 그게 하이데거든 사르트르든 실제의 인간을 분석한 적절한 지적임은 틀림없다. 그래서 그것 자제가 나쁘다고 하거나 욕망 자체가 비난받을 일은 아니다.

욕망 충족 욕구가 본질적으로 비난받을 것은 아니지만, 사회적 지위획득을 위해서, 자신에게 만족하기 위해서, 즉 사회적 욕망을 실현하기 위해 늘 타인과 경쟁하며 살아가는 부류들이 있다. 이런 인물들은 주변을 꽤 피곤하게 만든다. 타인이 자신보다 잘되거나 인정받거나 우월해지는 것을 참지 못한다. 이방원 같은 인물, 강한 권력욕으로 누구든 짓밟아야 하는 타입이다. 타인을 비교의 대상, 경쟁의 대상으로 보고 '짓밟거나 짓밟히거나'라는 구도로 세상을 본다. 그래서 강자 앞에서는 꼬리를 내리고 약자는 짓밟는다. 나약하게 보이면 무시하고 공격하며 강하면 섬긴다. 소위 야망, 비천한 야망에 불타는 이들이다. 감탄고토란 말이 있다. 달면 삼키고 쓰면 뱉고. 토사구팽이란 말도 있다. 사냥이 끝나면 사냥개를 잡아서 보신하는 것. 이런 부류들은 그렇게 세상을 보고 세상을 산다. 그리고 역사는 그런 사실을 수도 없이 보여줬다. 고려 무신정권, 이방원, 이성계, 대부분의 혁명가는 그랬다, 그 피해사들이 정도전, 조광조 일반적으로 말하는 조선의 사림파들이다.

이런 부류도 있다. 내적 자만감으로 자신을 위로하는 부류들. 이들은 이놈은 이래서, 저놈은 저래서, 나보다 부족하고 못났다고 혼자만의 생각으로 위안을 받고 자신을 위로하고 자만하는 부류들이다. 비록 나는 지금 이 정도 지위이지만 사실 나의 능력은 훨씬 크고 높다는 것, 사회적으로 인정받고 있지 못할 뿐, 나는 맑고 깨끗하고 정의롭다는 것, 이런 부류는 외부인이 가까이 다가서면 싫어한다. 먼 곳에 있을 때는 친밀한 관계를 유지하고 싶어 하다가도 가까이 다가서서 자신보다 우월한 점이 보이거나 낫다고 자랑질하거나 혹은 자존을 손상하면 갑자기 공격하기 시작한다. 물론 그 외에도 다양한 인간군상들이 있다. 이런 인간 유형을 수없이 봐 왔다. 부하의 공로를 훔치는 인간, 타인의 아이디어를 자신의 것인 양 도용하는 인간, 끝없이 말마다 자존하는 인간. 부드럽게 다가와서 이용해먹는 인간….

특히 성공한 인간들, 자신이 매우 잘난 인간이라고 생각하는 이들 중에도 상당 부분은 그렇다. 그래서 이런 사회조직에 적응하기가 어려워 직장생활, 조직생활이라는 것이 어려워진다. 이런 인간들이 먼저 승진하여 혹은 상사로 와서 인간(?) 노릇 할 때, 다른 것은 모두 참을 수 있는데 인격적 모욕감을 참지 못한다는 것, 즉 하인같이 취급되어 자아가 소멸하거나 자존이 손상을 받는 것은 잘 수용하지 못한다. 그것이 직장인의 최고의 어려움과 형벌이다.

그러니까 자족이 어렵다는 것. '자족한다'고 하는 표현은 '인격적 모욕을 참는다'가 될 수 있거나 혹은 이런 사회나 조직으로부터 도피했다는 의미가 될 수 있다는 얘기다. 혹은 인격적 모욕이라고 느껴져도 상관없이 수용하고 인내한다는 것과 동의어가 될 수 있다. 부처님 가운데 도막, 무골호인, 꼭 좋은 말은 아니다. 비하되고 무시되고 모욕감을 느껴도 참고 있다는 얘기이거나, 그것을 그리 심각하게 받아들이지 않는다는 얘기이다.

이런 사회를 살면서 자족할 수 있을까?

구멍가게를 해도 고객 중에 시비를 걸고 트집을 잡고 괴롭히는 이가 있을 수 있는데 자족하고 산다는 게 쉬울까? 그러면 이런 것들로부터 자유로울 듯한 교수, 작가, 이런 분들이라면 어떨까? 철학과 교수들끼리 학문적 자존을 걸고 열을 올리고 분을 내는 것. 분을 내는 것과 자족하는 것이 대치되지 않는다고? 거룩한 분노라고? 그럴 수도 있지만 고급스러워 보이는 유치함이 될 수도 있다. 작가들은? 작품에 대한 비난, 타 작가들과의 비교, 사안에 대한 견해 차이, 이분들 또한 예외랴? 국회의원들은 자족할 수 있을 것 같다. 상임위에서 실컷 쌈박질하고 폐회하면서 곧장 손잡고 웃으며 악수할 수 있으니까. 그래서 심리적 자족이란, 이런 성격적인 유연성을 말한다는 것도 옳겠다.

이런 오너도 있다. 헝그리 자본주의자. 거지 오너십 같은 말이다. 기업가가 고상하게 기업을 하기는 물론 어렵다. 돈을 버는 것, 사업을 하는 것. 그것은 모든 치욕과 모멸감을 모두 수용해야 가능한 것인지도 모른다. 그렇다고 헝그리 자본가가 되어 변칙과 반칙을 통해서 부를 모으거나, 직원의 목줄을 틀어쥐고 자본주의 고용권을 은밀하게 남용하며 정치권이나 권력자들과의 유대를 통해 권력의 부스러기를 주워가며 사업하는 사업주가 되거나, 부하 직원에게는 무소불위하고 상위 권력자들에게는 금력이든 향응이든 무한 제공하여 사회적 기생물로서 사업을 해가는 사람이 되거나….

사실 가장 달콤한 꿀은 권력으로부터 나온다. 검찰 경찰 국회의원, 정부 관리…. 그렇게 연줄과 연줄로 이어지는 숨은 이권 관계가 아직도 엄연한 사회, 정경유착의 고리는 하부기관에서 더 은밀하게 이루어질 수도 있다. 국가 훈장이나 정부 프로젝트 하나 선정되는 것도 그렇다. 작은 지원금도 관련 부처에 연줄이 닿으면 쉬워지는 게 사실이다. 공정 투명한 사회를 부르짖지 않은 정권 있었던가? 도의원, 시의원, 처음에는 무보수였다. 지금은 일 트집 잡고 이권 챙기고 해외연수 가고 그리고 스스로 급여 만들어 받는 이들로 보는 시각이 더 많다.

왜 이렇게 자존의 문제 자족의 문제를 사회적 문제와 연계시키느냐 하면, 자존과 자족의 문제는 개인적 심리적인 문제가 아니라 사회문화적 문제라고 말하고 싶은 것이다.

그리고 자존 자족의 실현은 '닫힌 사회'에서는 매우 어렵다는 얘기를 하고 싶은 것이다. 사회를 도외시한 자족은 도피이며 회피이며 자기만족 내지는 자기 위안의 차원일 가능성이 매우 크다는 얘기를 하고 싶은 것이다. 굳이 정치적이어서가 아니다. 인간은 사회적 동물이라는 것은 인간이 사회를 거부할 권리가 없다는 의미이기도 하다. 행복이 삶의 목적이라고 아리스토텔레스 시절부터 일반화되어 왔다면 행복은 이런 사회적 자존감이나 자족감 없이는 매우 불가능하고 따라서 행복한 사회 만들기, 그 안에서 행복한 사람이 되려면 사회 제도적, 문화적으로 형성된 열린 사회, 혹은 사람 사는 세상이 되지 않고는 어렵다는 얘기를 하고 싶은 것이다.

사회구조의 개선, 선진국이 되는 것은 국민소득 몇만 불 달성이 아니다. 분명히 그것은 그렇다. 경제성장만을 최고의 목표로 두고 새마을 운동, 헌 마을 운동, 정신개조운동, 국민교육헌장…. 등등 정신과 물질을 모두 개조하기 위한 운동을 해도 물질적 성장에는, 상명하복식 정신개조에는 한계가 다가온다. 북한이 장마당을 통해서 시장이 형성되고 자본주의가 일부 도입된다고 하지만 완벽한 독재사회에서 한계는 금방 나타난다. 결국 선진국은 시스템과 환경과 문화와 정신이다. 구조와 물질과 성장과 생산량이 아니라, 정신이며 문화이며 사회적으로 연계되는 평등한 인간관계이며 곧 인간이 인간으로 취급받는 사회, 이런 정신문화가 형성되지 않으면 기업도 사회도 국가도 성장은 허구이고 사상누각일 수 있다. 이것은 부정적인 말이 아니라, 앞으로 우리 사회가 나아가야 할 방향이다.

선진화는 '관계의 선진화'이다. 형식적이고 외형적인 공식적 수직적 관계가 아니라, 비공식적 수평적 관계구조 그것이 선진화의 충분조건이다. 소득의 증가는 필요조건일 뿐, 예종이 독살당한 것은 '분경奔競'을 금지해서다. 퇴근 후 관리들을 찾아다니는 것, 사적으로 만나 청탁을 주고받는 것을 금지한 것이 즉위 몇 개월 만에 독살된 요인 중 하나로 추정된다. 그것도 아버지인 세조의 단종 왕위찬탈을 도운 한명회 등에 의해서, 아버지는 왕 만들어 주고 아들은 독살한 것이 한명회 일당일지도 모를 일이다. 세조의 입장에서도 그의 아들이 독살 당했다면 그것도 참 슬픈 일이다. 한명회도 후에 부관참시당하였지만, 아직도 우리 사회는 정의와 양심과 헌신이 승리하는 국가를 만들지 못했다.

6·25에 자원 참전한 미팔군 사령관 아들의 산화…. 그들의 문화와 정신은 지금 세계를 지배하고 있다. 전장에 먼저 달려가는 영국 왕세자, 그들은 지금 세계에서 신사 대접을 받고 있다. 우린 아직도 타인을 눌러야, 힘으로 권력으로 지배해야, 그리고 권력의 언저리에 붙어있어야 이권이나 콩고물 조금이라도 떨어지는 사회에 산다. 조선의 훈구파로 시작되는 실세들, 일제에 동조한 문화 정치 권력가들, 해방 이후에 아직도 계속되는 그래서 청산되지 않은 정신문화, 지금 우리에게 가장 필요한 건 이런 정신문화의 개선이다. 공평한 사회, 투명한 사회, 공정한 사회, 이권청탁이 없는 사회, 경쟁의식이 줄어드는 사회, 누가 누굴 지배할 수 없는 사회, 권력과 이권이 배제된 사회, 직업의 귀천이 없고, 권력과 이권이 연계된 것이 확인되면 권력의 끝자락이라도 엄벌하고, 공기업 채용 비리, 공개경쟁이라는 이름으로 뒷거래하는 관급공사 완전히 끝내야 산다. H 시골에서 빌딩 사는 것이 직업인 어느 노인분의 아들이 해당 군의 관급공사를 싹쓸이하는 비결이 수익금의 반을 담당 공무원에게 나눠주는 것이란다. 이런 사회로는 안된다. 군위원이 되어 골재 채취권을 또 싹쓸이해서 선달이 한양 물 팔듯해서 돈 버는 일이 계속되는 사회로는 선진화는 안 된다.

빗장이 닫혔다. 빗장은 열려야 한다

어른이 된다는 것은 자기 자신을 인정하고 수용하는 것이다. 자기를 부정하는 이를 어른이라 할 수 없다. 이런 사회를 직시하고 그 안에서 자기를 수용할 수밖에, 전쟁이 일어나면 짐을 싸서 도주할 궁리를 하는 것이 아니라 당당히 한목숨 바칠 각오를 하는 사람이 어른이다. 사회부정에 과감히 맞서는 사람이 어른이다, 촛불이든 횃불이든 들 수 있는 사람이 어른이다. 만일 촛불이 잘못되었다면 당당히 얘기할 수 있는 사람이 어른이다. 자신의 정당성을 충분히 타당하게 설명할 수 있는 사람이 어른이다. 그렇게 자기 수용성이 가능한 사람이 어른이다.

더는 후회하지도, 안타까워하지도, 억울해 하지도, 미련을 남기는 것도, 아쉬움을 남기는 것도, 자기 자신을 미워하지도 않는 것. 그리고 안되는 것은 포기할 줄도 알고 잃은 것에는 미련 두지도 말고, 이루지 못한 것에 잠 못 들지 말고, 풀리지 않은 일도 인정하고 절망하지 않는 것, 그래서 늘 당당해지는 것, 패했든 열등하듯 낙오했든 억울해 하거나 분하게 생각하거나 하지 말고 나름대로 수용하고 당당해지는 것. 그렇게 배짱으로 사는 것, 그것이 어른 되는 길이 아닐까?

남을 짓누르며 신앙을 갖는 자, 서울을 하나님께 바치는 자, 자신만의 자존과 이익을 위해 슬기롭게 살면서 하나님께 복을 비는 자, 우리는 이런 이들 때문에 민족적 고통을 당하는 것이다. 어른이 된다는 것, 절대 쉽지 않다. 포기하지 외면하지도 분노하지도 절망하지도 않을 능력을 키워야 한다.

우리는 공정한 사회를 살고 있는가?
우리는 평등한 사회를 살고 있는가?
명분과 구호에,
제시된 가치관에 중독된 것은 아닌가?

그리고
감각적 도시화의 늪에서
자연성마저 잃어가고 있는 것은 아닌가?

양심과 인내의 결실이
언젠가 끝내
하늘의 별처럼 빛나기를 막연히 기대하며….

제2장

사회 인문학

_ 작은 녀석의 입대 _

잠을 설쳤다. 작은 녀석이 입대한다. 새벽이 밝아온다. 짧게 깎은 녀석의 머리에서 입춘이 지났는데도 떠나지 못하는 한겨울의 늦추위보다 더한 미련이 흐른다. 춘천 102보충대, 호반의 도시, 그 낭만의 도시가 한겨울의 추위에 웅크리고 있다. 6년 전 눈이 무한정 내리던 날 큰 녀석이 입대했던 그 장소를 또다시 찾아왔다. 부모와 헤어져 연병장을 뛰어가던 그 녀석의 뒷모습이 너무도 오랫동안 잔상으로 남았는데, 그 녀석을 보내고 되돌아오던 경춘선 열차는 마른 가슴만큼이나 덜컹거렸는데, 그 녀석이 거처하던 비어 버린 방에 들어서면서 녀석이 남기고 간 여운이 진한 그리움으로 배었는데, 그 짧고도 길었던 석별의 장소였던 이곳을 이렇게 또 겨울의 끝자락에 찾아왔다.

군악대가 자주색 유니폼을 입고 입대환영 행사를 하고 있다. 흥겹지 않은 흥겨움이 찬 공기 속에서 공전한다. 입대 장정들과 부모들에게 입대 소감을 한마디씩 하라고 한다. 자원해서 마이크 앞에선 사람들 모두 애써 참았던 아쉬움을 왈칵 서러움처럼 쏟아낸다. 젊음이 곧장 강당 속으로 사라진다. 아들의 뒷모습을 한 번이라도 더 보려는 부모들의 습기 찬 시선이 자녀들의 뒤를 쫓는다. 이제 부모님들은 되돌아가시라는 스피커의 울림이 연병장에 울려 퍼진다. 애써 눈물을 감추는 부모들의 눈가가 젖는다. 손수건을 꺼내 든 어머니들의 애처로움이 겨울 찬 공기에 부딪힌다. 국방의 의무, 국민의 4대 의무 중 하나라고 초등학교 때부터 배웠고 헌법에도 적혀 있다. 누구나 국방의 의무를 다한다.

녀석은 참으로 많은 '사고'를 쳤다. 자전거 타다가, 축구하다가, 놀이터에서 놀다가, 길모퉁이 교통사고로…. 신검을 받고 온 날 그 녀석의 가느다란 팔을 바라보면서 이렇게 말했다. "지금까지 수술받은 의무기록을 다시 병무청에 제출해보면 어떻겠냐?" 그 녀석 왈. "아빠, 나 군대 갈래."

분신처럼 사용하던 휴대전화도 반납하고 겨울의 찬 공기 속으로 뛰어간 젊은이들이여, 그대들로 인하여 자유와 민주주의는 우리 곁에 이렇게 스며 있지 않은가. 연단은 인내를 인내는 열매를, 그리고 그 시련과 연단은 당신들 앞으로의 긴 인생 여정에 늘 자양분이 되고 토양이 되리니. 삶은 그렇게 훈련받기 위해, 경험하기 위해 우리에게 축복으로 주는 선물이라 하지 않던가.

연평도가 폭격을 당하던 때이던가. 지하 벙커에서 비상대책회의를 하던 군 통수권 최고위 요직 분들의 군경력이 국방부 장관만 현역 만기 전역병이라고 하였던가. 이중 국적을 가진 젊은이들도 자원입대하고, 해병대 자원입대자가 줄을 잇고, 현역 입대를 하지 않아도 무방

한 연예인들도 현역을 지원하고, 시력이 좋지 않은 아들을 라식수술을 해서라도 군대를 보내는 아버지가 있다는데, 그리고 자유를 수호한 것은 오로지 이 땅에 바쳐진 그 젊음 때문 아니었던가.

6·25 전시에 미8군 밴프리트 사령관의 아들이 조종사로 지원했다. 그리고 그는 압록강 남쪽 어느 전선에서 산화하였다. UN군 사령관인 마크 클라크 대장의 아들 클라크 대위도 금화지구의 저격능선에서 중대장으로 싸우다가 세 번에 걸친 부상으로 전역했으나 결국 그 후유증으로 사망했다. 한국전에 참가한 미군 장성의 아들들은 모두 142명, 그중 35명이 전사하였다.

당시 대통령인 아이젠하워의 아들 아이젠하워 소령은 전방 미 제3사단 정보처에서 근무하였다.

사랑하는 어머니에게!

눈물이 이 편지를 적시지 않았으면 합니다. 어머니 저는 지원해서 전투비행훈련을 받았습니다. B-26 폭격기를 조종할 것입니다. 저는 조종사이기 때문에 기수에는 폭격수 옆에는 항법사 후미에는 기관총 사수와 함께 있습니다.

아버님께서는 모든 사람들이 두려움 없이 살 수 있는 권리를 위해 지금 한국에서 싸우고 계십니다. 드디어 저도 미력한 힘이나마 아버님에게 힘을 보탤 시기가 도래한 것 같습니다.

어머니 저를 위해 기도하지 마십시오. 그 대신 미국이 위급한 상황에서 조국을 수호하기 위하여 소집된 나의 승무원들을 위해 기도해 주십시오.

그들 중에는 무사히 돌아오기만을 기다리는 아내를 둔 사람도 있고, 애인이 있는 사람도 있습니다. 저는 최선을 다할 것입니다. 그것은 언제나 저의 의무입니다.

– 아들 짐 올림 –

이 편지는 밴프리트 미 8군 사령관의 아들 지미 밴프리트 2세 공군 중위가 자원해서 아버지가 사령관으로 있는 한국전에 참여하면서 어머니에게 보낸 편지이다. 그리고 그것이 마지막 편지였다.

4월 4일 아침 10시 30분 8군 사령관 아들 지미 밴프리트 2세 중위가 폭격비행 중 실종되었고 수색작업이 진행되고 있다는 보고를 받았다. 그는 묵묵히 듣고 있다가 담담하게 다음과 같이 지시했다고 한다. "지미 밴프리트 2세 중위에 대한 수색작업을 즉시 중단하라. 적지에서의 수색작전은 너무 무모하다."라고. 이것은 전 주월 한국군 사령관 채명신 장군의 증언이었다.

며칠 뒤 부활절을 맞아 그는 전선에서 실종된 미군 가족들에게 이렇게 편지를 보냈다.

"저는 모든 부모님들이 모두 저와 같은 심정이라고 생각합니다. 우리의 아들들은 나라에 대한 의무와 봉사를 다 하고 있습니다. 예수님께서 말씀하신 바와 같이 벗을 위해서 자신의 삶을 내놓는 사람보다 더 위대한 사람은 없습니다."

병무청이 반박하고 있지만, 아래의 내용은 언론을 통해서 보도된 내용이다.

투명사회를 위한 정보공개센터가 병무청에 정보공개를 청구해 제출받은 '중앙행정기관 및 헌법기관의 병역이행 현황' 자료에 의하면, 병역신고 및 공개대상 고위공직자 1만 4,050명 가운데 1,724명이 면제를 받아 면제율 10.9% 기록하고 있고. 이는 일반인의 면제율 2.4%를 4배가량 초과하는 수치다. 군 면제율이 가장 높은 부서는 공정거래위로 122명 중 22명이 면제받아 18%, 특히 병무청은 63명 중 10명이 면제받아 15.9%를 기록하였다. 18대 국회의원 253명 가운데 41명이 면제를 받아 면제비율이 16.2%, 국회의원의 직계비속의 경우 21명(10.3%)이 면제, MB정부 내각의 군 면제 비율은 24.1%로 국민 평균의 10배이다(헤럴드 생생뉴스 2011.3.4). '시사기획 쌈'이 추적한 삼성, 현대 등 7대 재벌가에서 병역이행 여부를 보면 147명 중 30%가 넘는 48명이 병역면제를 받았다.

고위공직자와 그 자녀가 군 면제 혹은 보충역 판정을 받는 비율이 일반인보다 월등히 높은 것으로 밝혀졌다. 국민의당 김중로 의원이 병무청으로부터 제출받아 공개한 자료를 보면 병역 의무가 있는 4급 이상 고위공직자 2만 5,388명 가운데 병역면제자는 2,520명(9.9%)이다.

2016 상반기 진행된 징병검사 결과 병역면제 비율은 0.3%로, 고위공직자의 비율이 일반인의 33배에 달하는 것으로 분석됐다. 고위공직자 자녀들 역시 병역면제 비율이 높았다. 고위공직자 직계비속 1만

7,689명 중 병역면제자는 4.4%인 785명이다. 일반인 면제비율의 15배에 육박한다. 면제가 아닐 경우 공공기관 근무로 군 복무를 대신하는 보충역으로 간 고위공직자도 일반인보다 많다. 고위공직자 가운데 징병검사에서 보충역 판정을 받은 사람은 5,722명으로, 전체의 22.5%를 차지했다. 올해 상반기 보충역 판정 비율은 10.2%로, 고위공직자의 비율이 일반인의 2배를 넘는다(2016.9.11. 미디어펜 이상일 기자).

군을 다녀온 사람들이 공통으로 꾸는 악몽이 있다. 군을 다시 입대하는 꿈이다. 꿈속이지만 참으로 절망스럽다. 참으로 암담하다. 잠을 깨고 나면 식은땀이 흐른다. 논산훈련소를 '사람 공장'이라 불렀다. 새사람을 만드는 곳이라는 의미였다. 입영할 때 입은 옷을 집으로 보내오면 어머니들은 그 옷을 한나절 내내 빨고 또 빨았다. 그래도 황토물이 가시지 않았다. 빨래하는 어머니의 마음과 손길이 얼마나 아렸을까. 물론 군복무기간은 혹독한 시련을 통하여 젊음이 성숙하는 기간일 수도 있다. 인내를 배우고, 타인과 전우에 대한 우정과 배려를 배우고, 상하 간의 질서를 배우고, 겸손을 배우고, 공동체 의식을 배운다. 어려운 과정에서 심신의 강인함을 배운다. 무쇠를 담금질하듯, 여름날의 태양이 과일을 익히듯 군 시절은 그렇게 젊음을 여물게 한다. 단 군대에 가는 것이 비합리적이거나 불공평하거나 하지 않아서 국가를 위한 충성에 억울함이 없다는 전제하에.

우리 한민족이 강대국들 사이에서도 지금도 민족의 독립성과 고유성을 지켜온 것은 역사에 기록된 장군들 때문이 아니라, 그 시대를 바람과 같이 눕고 일어섰던 잡초 같은 민초들이 있었기 때문이다.

미국은 대선후보 토론에서 이전에는 월남군 참전 여부가 주요한 논쟁거리가 되었다. 그들은 징집제도 아니고 모병제인데, "모두가 힘들게 고생할 때 당신은 그때 무엇을 하였습니까?"

_ 고스톱 개론 _

서민들은 고스톱을 즐긴다. 명절이면 가장 많이 즐기는 놀이가 고스톱이다. 친구, 친척, 직장동료 어디서든 사람들이 모이면 고스톱을 친다. 그런데 왜 이처럼 고스톱이 국민적 놀이가 되었을까. 고스톱이 왜 서민들이 가장 즐겨 하는 놀이 중의 하나가 되었을까. 거창하게(?) '고스톱에 대한 사회심리학적 접근'을 해보자.

고스톱은 일본에서 수입된 놀이란다. 고도리ごどり는 ご五와 とり鳥의 합성어로 5마리의 새를 뜻한단다. 물론 고등어 새끼를 고도리라 하기도 한다. 화투에서 광光에 대한 해설은 이렇다. 삼광은 일본의 국화에 해당하는 사쿠라さくら를 그린 것이고, 팔광은 우리는 흔히 보름달이라고 생각하지만, 원래 일장기의 빨간 원 히노마루ひのまる를 그린 것이고. 비광은 어떤 노인이 비오는 날 우산을 받치고 슬리퍼げた(게타)를 신고 걷는 그림으로 일본의 유명한 시인 마츠오 바쇼松尾芭蕉, まつおばしょう가 그의 시구를 겹쳐서 그린 것이란다.

어찌 되었거나 고도리는 현재 한국인의 국민 놀이가 되었다. 이제는 한국 국민만의 놀이가 아니라 세계인의 놀이가 되었다. 공황에서 외국인들이 시간을 보내려고 둘이서 화투놀이를 하는 풍경도 보인다. 아쉽게도 일본에서 수입된 놀이지만 고도리는 우리 국민의 마음

속, 서민들의 가슴속에 어떤 사회심리학적 의미를 가져다주고 있고, 또 그것이 서민들의 애환과 설움을 풀어주었기 때문에 국민오락이 된 것이 아닌가 싶다.

우선 고도리판은 껍질, 즉 쭉정이('피'라고도 하지만)가 대우받고 인정받는 세상이다. 이전에는 '민화투'와 '육백'이라는 화투게임이 있었다. 민화투나 육백에서 껍질은 아무짝에도 쓸모가 없는 그냥 버려지는 쓰레기일 뿐이다. 그냥 알맹이들의 짝을 맞춰주는 데 필요한 곁절이일 뿐, 이용당하고 버려지는 신세가 껍질이었다. 꼭 유구한 역사 속에서 전쟁터에나 내몰리는 우리네 백성들의 처지처럼, 세계사에서 늘 하층민인 서민들은 권력자들의 조력자로서 사용되고 버려졌던 것처럼, 그러나 고도리 판에서는 이제 백성이 인정받는, 껍질이 더욱 소중히 여김을 받는 세상이 열린 것이다. 광을 두고 껍질을 먹는 것이 고도리이다. 고스톱에서는 왕보다는 백성이 선호되는 것이 일반적인 원칙이다. 게다가 쌍피가 있어 껍질 한 장이 두 몫으로 인정되기도 한다. 무지렁이 하층민인 민초가 이제 광보다 우선 대우받는 세상이 된 것이다. 이런 세상을 백성들은 얼마나 꿈꿔왔던가. 고도리 화투판에서 이제 백성들은 수백 년 동안 눌려온 한과 설움을 풀어내는 것이다. 광은 세 개를 먹어봐도 3점이다. 큰 점수를 내려면 피(껍질)를 많이 먹어야 한다.

뭔가 크게 변화시키고, 크게 이루기 위해서는 백성들이 모여야 하는 것이다. 백성들이 힘을 합쳐야 한다. 위정자, 정치인 몇 명 모여서는 큰 변화를, 큰 성과를 이루어 낼 수 없다. 껍질이 대접받는 세상, 백성이, 민초가 대접받는 새로운 세상이 화투판에서는 드디어 이루어지고 있는 것이다.

또 하나 화투가 인기 있는 게임이 된 이유는, 그 간편성 때문이리라. 화투놀이는 넓은 공간과 비싼 장비를 필요로 하지 않는 게임이다. 몇 명이 둘러앉을 수 있는 작은 공간과 우리 주변에 늘 있는 담요나 수건이나 그도 아니면 신문 몇 장만 있으면 즐길 수 있는 놀이이다. 언제 어디서나 손쉽게 시작할 수 있는 편리성이 큰 장점이다. 축구, 배구, 등산, 골프, 수영, 민족의 게임인 윷놀이까지도 모두 시간과 공간과 약속과 준비를 필요로 한다.

그러나 어디 이 정도만으로 고도리가 4천만의 놀이가 되었을까. 고스톱 속에는 또 다양한 인간의 심리가 어우러져 있고, 우리 삶에서 늘 겪는 운수나 요행도 같이 공존한다. 고도리는 '운7 기3'이라고도 한다. 운이 7할, 기술이 3할이라는 것이다. 이런 규칙도 있다, 짝을 맞춰 먹은 것이 뒤패에 또 일어나면 소위 '뻑(설사)'이 된다. 이런 경우는 대부분 운이 작용한다. 하필이면 짝 맞춰 먹은 화투가 또 일어나는 것이다. 뻑을 하면 따 놓고도 가져오지 못해서 서러운데, 이것을 상대방이 가져가면 껍질 하나를 추가로 줘야 한다. 삶은 이처럼 운 없는 사람은 가진 것도 빼앗기도, 또 상대방은 호박이 넝쿨째 들어오는 행운도 만나는 것이다. 우리네 삶에서도 온 힘을 다해 노력과 수고를 다 하고도 그 결과를 취하지 못하는 참 안타까운 경우도 흔하게 발생한다. 빈부 격차는 이렇게 발생하기도 하고, 수고의 대가는 한곳으로 몰리기도 한다. 이런 결과들을 우리는 늘 어쩔 수 없이 바라보기만 한다. 고도리판, 그곳은 서민들의 설움과 안타까움과 분노와 어쩌면 절망까지도 어우러지는 곳이다. 그곳이 화투판이며 어쩌면 우리들의 삶의 현장이자 생존 판이다.

이런 측면도 있다. 우리 사회에는 사회구조 속으로 들어오지 못하는 소외자들이 많다. 게임에 참가하고 싶어도 여건이 되지 않아서, 즉 화투패가 좋지 않아 참여를 포기하는 사람들이 있다. 여건이 되지 않아서, 주어진 화투패가 좋지 않아서 화투판에 참여하는 것을 포기하는 사람들이 있다. 선대로부터 물려받은 것이 많지 않아서, 그리고 재능을 타고나지 못해서, 어찌 해보려고 해도 어쩔 수 없는 사람들이 많다. 이런 부류는 한恨을 달래며 또 어쩔 수 없이 현실을 체념한 듯 살아간다. 그런데 고도리 판은 어떤가, 이런 사람들까지 참여시키고 소외시키지 않으며, 적당히 보상하고 또 보상받을 기회를 준다. 이런 제도가 '광을 팔게 하는 제도'이다.

참여하지 못하는 자에게도 보상받을 기회를 준다. 화투판에서는, 제도권이나 사회로부터 버려지거나 소외당하는 것이 아니라 참여하지 못함에 대해 적절히 보상하는 것이다. 소외자에게까지 보상과 관심을 기울이는 참으로 인간적(?)이고 복지적인 놀이가 고스톱이다.

어느 조직이나 가장 무서운 형벌이 왕따이다. 놀이에 끼워주지 않는 것, 무리에 넣어주지 않는 것, 무시하고 천대하고 괄시하는 것, 인격이 모독당하고 존재 가치가 부정되는 것, 그것은 참을 수 없는 괴로움이다. 그러나 고도리 판은 그렇게 비정하지 않다. 운이 없는 사람, 줄을 잘못 선 사람에게도 배려하고 보상하는 따스함이 그 속에는 있다. 그래서 고스톱은 백성의 놀이가 된다. 고관대작의 놀이는 승리자만이 독식하는 놀이가 되겠지만, 백성의 놀이는 고스톱이 된다.

모르긴 해도 일본에서 화투가 만들어지고, 고도리 게임이 만들어졌다고 하나 아마도 이런 피지배층들이 인정받는 규칙은 우리나라에서 개발되지 않았나 하는 생각을 하게 된다. 화투판은 '유유상종'해야 힘을 갖는다는 진리도 알려준다. '광'은 '광'대로 모여져야 하고, 껍질은 껍질대로, 열은 열대로 모여져야 한다. 홍, 청, 초단도 3장이 같이 모여야 '약'이 되고 '단'이 된다. 어떻게 보면 끼리끼리 문화를 조장하는 것 같기도 하지만 서로 힘을 합쳐서 협동해야지만 무리가 이루어지고 파워가 주어진다는 평범한 이치도 가르쳐 준다.

무릇 모든 게임이 그렇듯 고스톱도 상대방을 보면서 전략을 세워야 한다. 전술, 전략이란 말은 애초에 상대의 전략을 전제한 개념이다. 전쟁에서 상대방을 읽지 못하면 백전백패한다. 자기의 패만을 보고 자기의 이익만을 생각하고 추구하다 보면 상대방에게 패한다. 그리고 제삼자에게 피해를 준다. 이기적인 인간은, 자신의 이익에만 관심이 있는 참가자는 이웃들로부터 그렇게, 주변에 폐해를 주는 아류 인간으로 낙인찍힌다. 세상살이에서의 인간성이 화투판에 투영된다. 노련한 화투 꾼일수록 상대방의 패에 더욱 관심을 둔다.

그러고 이길 수 없는 상황이라면 또 다른 경쟁자인 차점 후보자를 후원하여 1위 우승 후보자에게 너무 많은 점수가 몰려가는 것을 방지하려는 노력도 기울인다. 형평성은 복지사회의 기본이며 자신을 구원하기도 한다. '쇼당'이라는 것도 있다. 이것은 희망이 없는 참가자가 마지막으로 내밀 수 있는 카드이다. 고스톱판에는 약자에 대한 배려가 다양하다.

삶의 애환과 개인의 심리와 게임의 규칙과 모든 것들이 어우러진 곳이 고스톱, 화투놀이다. 그러나 이런 고도리 놀이도 승리욕이 넘쳐 투기성이 강해지고 금전의 액수가 높아지면 곤란해진다. 이렇게 되면 놀이가 아니라, 이제 또 다른 욕망의 장으로 변한다. 또다시 강자와 약자가 발생한다. 삶의 짐을 풀어내는 수단이 아니라 쌓아가는 기제가 된다.

고스톱 속에는 심리학이 있다, 애민 사상이 녹아 있고 철학이 숨어 있다. 정치학이 있고, 사회학이 숨어 있다. 누구나 스톱할지 몰라서 바가지를 쓴다. 그러나 위험을 무릅쓰면 쓰리고 더블이란 것도 있다. 돌아오는 명절에는 화투를 한번 해 볼 일이다.

— 양파밭 풍경 —

양파 캐는 날, 6월의 한나절! 농촌에서 양파 수확은 가장 바쁘고 중요한 농사일 중의 하나이다.

국가 간 농업생산물 무역자유화에 따라 경쟁력 있는 상품이 없는 농촌에서 양파는 주요한 소득원이 되었다. 양파 수확하러 온 일꾼들이 60~80대 할머니들이다. 일당이 10만 원이다. 흙에서 올라오는 열기가 대단하다. 숨이 막히고 강렬한 태양은 사정없이 내리쬔다. 허리 굽은 깡마른 체구의 할머니들이 지금까지 무겁게 이끌고 온 삶을 양파밭에 깔고 앉았다. 땅처럼 그렇게 순응하며 살아온 숱한 시절을, 끝없이 밀려왔던 삶의 질곡들을 그렇게 양파밭에 풀어놓고 여름날 긴 마른 햇살에 말리고 있다. 가끔 불어오는 바람은 '신의 선물'이다.

사실 농촌은 많이 변했다. 1980년대까지만 해도 농기계가 그리 흔하지 않았다. 기껏 경운기 정도가 농업기계화, 농업근대화의 대명사였다. 지금 농촌은 완전히 또 다른 세상이 되었다. 이제 농촌은 근대화를 지나 현대화를 넘어 이전의 시골과 비교해서는 '먼나라 이웃나라'가 되어 버렸다. 이제는 트랙터가 한번 지나면 벼가 가마니째로 수확되고 휴경지에 대해서는 보조금을 지급하는 시절이 되어 버렸다. 농로는 포장되고 농번기 들판에는 기계 소리만 요란하다. 현대화 기계화 도시화에 밀린 농촌, 말끔하던 마을의 개울에는 잡초만이 무성하고, 곳곳에 공장이 건립되고, 낙농 육우 농가들이 산과 들 도처에 자리하여 아늑하던 고향 경관은 사라지고 소 외양간에서 풍겨오는 원시적(?)인 냄새가 이곳저곳으로 흩어진다. 농사용 비닐들은 도처에 버려져 휘날리고 빈 병들과 산업폐기물들이 냇가에 즐비하다. 산업화와 함께 "물레방아 돌고 도는 내 고향 정든 땅, 아기염소 풀을 먹여 논밭 길을", 의 향수는 사라졌다.

시골에서 자란 사람은 안다. 먼 그리움으로 남은 고향의 의미를, 경제적으로 궁핍하고 어려웠지만, 추억과 설움이 묻어있는 곳, 산등성이에서 불어오던 시원한 바람만큼이나 아직도 그곳은 추억과 애환이 담긴 곳임을 안다. 농촌은, 시골은, 전원은 아스팔트로 흙과 격리된 도시민에게나, 이제는 이방인이 되어버린 시골 태생 도시민들에게나 영원한 향수임에는 틀림이 없는 듯하다. 루소도 자연으로 돌아가자고 은근히 속삭이고, 노장의 무위자연은 자연스러움의 표상으로서, 인위적이지 않음의 거울로서, 소위 잔머리 굴리지 않는 혐오스러운 인간의 지독한 이기적 자아에 대한 반성이 아니던가. 현재 시골은 농업이 경쟁력을 잃고, 산업화 현대화의 물결이 휩쓸고 지나간 후라, 농촌에는 어린아이의 울음소리가 끊어진 지 오래되었다.

그러나 농촌은, 시골은 언제나 그랬듯 자연이다. 솔바람 불어오고, 별과 바람이 반짝이며 냇가에 해오라기 노니는 농촌은 자연이다. 살

포시 피어나 수줍듯 혼자 지는 담장 아래 제비꽃 민들레가 아직도 그렇게 피어나는 곳이 시골이다. 회색 도시, 그리고 그 대표성을 갖는 아파트, 멜버른 같은 전원도시라면 몰라도 상해와 북경이 보여주는 것은 산업화의 먼지뿐이다. 르 코르뷔지Le Corbusier는 수직 도시를 건설하고자 하였다. 그는 도시재건을 위해 프랑스 임시정부의 의뢰를 받아 '유니테 다비타시옹Unites d'habitation'을 설계했다. 현대 아파트의 효시쯤 되는 이 건물은 지중해 연안에 정박한 대형 여객선을 연상시킨다. 그러나 현대건축물의 거장인 그도 이 현대아파트의 효시에 대해 완고한 남프랑스인의 '미치광이 집'이란 비아냥을 듣고 있단다.

전원성을 잃지 않는 도시의 건설, 도농 간의 조화롭고 균형적인 개발, 우리에게는 외면해서는 안 될, 그리고 현재도 진행형인, 그러나 그리 큰 점수를 받지 못한 아직도 남아있는 숙제이다.

도시화는 불가피한 선택이다. 미래사회는 생태학의 발달, 인공지능 컴퓨터의 탄생, 사이보그 인간의 출현, 유전자 공학의 발달…. 새로운 시대가 열린다. 농업은 더욱 소외되는 직업이 될 수 있겠다. 시대는 변하고 있고 토지와 인간 간의 관계는 재설정될 수밖에 없다. 이제 노동으로 토지에 다가서는 시대는 멀어지고 있다. 사람이 땅에서 멀어지고 있는 것이다. 도시에서는 흙을 밟기도 어렵다. 땅과 사람과의 단절, 이제 "얼룩백이 황소가 해설피 금빛 게으른 울음을 우는 곳" 그런 고향은 사라지고 있다. "그곳이 참하 꿈엔들 잊힐 리야"의 고향은 멀어지고 있다.

그러나 재미있는 현상 중의 하나는 '자연에 산다', '나는 자연인이다' 같은 프로그램이 점점 더 인기를 끌어가는 현상이다. 왜 그럴까?

과연 '땅'은 우리에게 어떤 의미인가? 효율성, 경제성이란 달콤함에 밀려난 농촌이지만 왜 우리의 의식은 땅을 떠나지 못하는가. 『소유의 종말The age of access』을 쓴 제러미 리프킨은 사람이 땅을 좋아하는 것은 사람 자체가 흙에서 왔기 때문에, 땅은 존재의 본질과 연결되기 때문이란다. 독일 철학자 마르틴 하이데거는 사람을 뜻하는 〈human〉은 '비옥하고 기름진 땅'을 뜻하는 라틴어 〈humas〉에서 왔다는 사실을 일깨워준다.

앞으로 어떤 시대가 와도 자연은 우리를 우리는 자연을 떠나거나 배반할 수 없다. 자연으로 갈 일이다. 땅을 사랑할 일이다. 이것은 본질적이고 근원적인 문제다.

도시의 삭막함, 농촌을 지켜온 분들에게 도시화의 산물들이 가져다준 애환, 산업화가 앗아가 버린 것들, 권력이라는 이름, 금전이라는 이름, 욕망이라는 전차를 타고 우리는 의식 없이 무한정 가고 있을지도 모를 일이다. 도회가 주는 감각적 오락성과 편의성으로 자연이 주는 풍요와 여유와 낭만을 잊은 지가 너무 오래되었다. 땅이 자연이 아니라 자산적 가치로 인식된 기간이 너무 오래되었다.

— 우리를 슬프게 하는 것들 —

가치와 명분이 우리를 슬프게 한다. 위장된 가치와 전도된 명분이 우리를 슬프게 한다. 숭고한 이념이나 사상이, 사랑과 자비의 실천을 목적으로 하는 종교가 우리는 슬프게 한다.

자본 가치보다는 노동 가치가 더욱 인본주의적이라는 명분으로 출반된 공산주의 사상은 노동 가치 창출의 핵심이며 목적이 된 노동자 농민을 결국 최대의 피해자로 남겨 놓고야 말았다. 가치, 명분, 정의, 사상, 그리고 사랑…. 종교 간의 갈등은 국제사회를 분열로 유도하는 역기능의 근원이 되고 있다. 예수를 가장 분노하게 한 것은 그 당시 가장 신실한 신자들이었던 바리새인들이었다. 예수는 그들의 향해 회칠한 무덤과 같은 독사의 자식들이라고 하였으니 그 분노가 얼마만큼 인지 짐작할만하다. 관념주의와 독선주의에 빠진 신실한 교인들이 어디 오늘날 이 사회에는 없겠는가.

세계사를 살펴보면 침략자가 영웅으로 호칭 되는 왜곡된 가치가 우리를 슬프게 했던 역사는 수없이 많다. 칭기즈칸과 알렉산더는 대왕으로 불리고 또 역사는 그들을 강성대국으로 만든 영웅으로 기록하고 있다. 그러나 약탈과 침략을 당한 민족에게는 그들은 영웅이 아니라 생명과 재산을 송두리째 빼어간 고통의 본체일 뿐 그 이상도 이하도 아니다.

숙명 같은 지정학적 위치로 우리 민족은 항상 외부로부터 수없이 많은 침공을 받아 왔다. 몽고군의 침탈로 인해 고려국은 백성은 육지에 남겨두고 40년 동안 왕족은 강화도로 피신해 있었던 것도 우리의 역사이다. 칭기즈칸은 세계사적으로는 영웅이란 호칭을 받겠으나 우리 한민족에게는 긴 시련과 감당하기 어려운 고통을 제공한 장본인일 뿐이다. 역사는 승자의 입장에서 기록된다. 정복자는 타국 혹은 타민족에게는 침략군 살상자일 뿐이다. "사람을 한두 명 죽이면 살인이지만 수백만을 죽이면 통계에 불과하다." 소련공산당 혁명을 주도한 스탈린의 말이다.

제노사이드genocide는 '집단학살'을 의미한다. '사람의 생명이 통계 자료일 뿐'이던 숱한 역사적 사건들은 허구ficton가 아닌, 지난 시절의 사실fact이었다. 사회면에 대서특필되는 극악한 살인범의 피해자는 단지 몇 사람이다. 그러나 사상과 종교는 상식을 넘는 만행을 자행한다. 종교와 정치, 사상이 폐쇄적이거나 독선적이 되어 제어장치 없이 질주하면 수많은 제노사이드가 이루어져 왔음을 역사는 전해준다.

제2차 세계대전 당시 독일은 약 600만 명의 유대인을 학살하였다. 소련공산당은 노동자·농민의 이름으로 공산혁명의 완성을 위하여 수백만 인민을 학살하였다. 마오쩌둥(모택동)은 문화대혁명 당시 1,000

만 명 이상을 숙청하였다. 폴포트는 서민을 위한 평등사회 건설과 '마오쩌둥식 사회주의' 실현을 위해 캄보디아 인구의 4분의 1인 200만 명을 학살하였다.

조찬선 목사는 『기독교 죄악사』에서 서구 문명과 서구종교의 가식과 위선을 조명했다. 신대륙을 발견하고 유럽인들이 이주하면서 300년 동안 1,800만 명 이상의 원주민이 교황의 지지를 받는 식민지배로, 총·균·쇠에 의해서 학살되었다. 신대륙의 발견과 개척의 역사는 유럽인에게는 개척정신이 일구어낸 새로운 세계의 발견이지만 원주민에게는 약탈당하고 강탈당한 역사적 패자로서 자신들의 역사가 송두리째 사라진 참담한 기록일 뿐이다. 포르투갈은 교황청의 묵인과 동조 하에 브라질을 식민지화하면서 원주민의 95%를 학살하였다. 400만 명이던 원주민은 고작 20만 명만 남았다.

빗장을 열고 우리의 현실을 직시해보자. 6·25는 우리 민족에게 커다란 고통을 가져다주었고 현재도 진행형이다. 금강산을 방문했을 때 북한의 산하는 지쳐있었다. 느릿느릿한 사람들의 움직임만 지쳐있는 것이 아니라, 산과 들과 개천도 지쳐있었다. 산은 벌거벗었고, 들은 황폐했으며 개천에는 물고기도 보이지 않았다. 반만년 역사를 같이 보듬어 온 한 민족, 민족적 측면에서 본다면 북한 주민들은 지금 북한에 있고 우리는 남한에 있을 뿐이다. 백성의 입장에서는 '사상'도 '주의'도 의미 없다. 그것은 세상을 보다 행복하고 정의롭게 만들겠다는 깃발 아래 시작된 구호일 뿐이다. 힘과 힘이 부딪히는 힘의 다툼

속에서 백성들은 늘 이유도 영문도 모르는 고통을 안고 살아왔다. 백성의 처지에서 본다면 사실 북한 주민을 포함한 우리 백성들이야 길고 긴 역사의 질곡 속에서 열심히 살아낸 것 말고는 무슨 죄가 있겠는가. 이데올로기가 무엇인지, 정치가 무엇인지, 왜 같은 동포끼리, 형과 아우가, 부모와 자식이 단장을 끊어내듯 인연을 끊어 내야 하는지 백성들은 알 수가 없다. 현재 상황을 숙명처럼 수용하는 것 외에는…. 일전에 어떤 탈북주민은 북한에서 나름대로 노동당원으로 삶을 살았으나 자신의 부친이 고문으로 돌아가시는 그 고통의 소리가 아직도 귓가에 맴돈다고 증언하고 있었다. 일본의 강점, 그리고 해방과 더불어 찾아온 남북분단, 우리 한민족의 슬픈 과거다. 남북분단 상황은 민족적 입장에서는 비자발적, 외부적 결과이다. 남한과 북한은 미국과 구소련이 반씩 나누어 돌봐(?)주자고 합의한 결과로 삼팔선이 그어졌다. 왜 우리는 힘으로 밀려서 이렇게 약소국이 되었는가? 역사 속에서 찾아볼 일이다.

무엇이 인간 세상을 지배하는가? 정의와 진실, 가치? 이런 것들이 세상을 지배할까? 선이 악을 이기는 것이 맞을까? 권선징악, "적선지가 필유여경積善之家 必有餘慶"이라, 선을 많이 쌓은 집안에는 반드시 남은 경사스러운 일이 있단다 과연 맞는 말인가? 아니면 단순한 희망 사항에 지나지 않은 말인가? 성경에는 '우리의 머리털까지 세신 하나님'으로 기록되어 있다. 과연 그럴까? 그것은 기독교인들에게만 해당할까? 왜 유사 이래로 단 한 번도 신이 직접 관여한 것 같은 사건이 없을까? 신은 인간에게 이러한 의문을 가지고 끝없이 질문하고 사색하는 기능만 주었을 뿐 관여하지 않을까?

그렇다면 선을 지키고 정의와 진리를 논하고 종교를 갖는다는 것이 과연 무슨 의미가 있을까? 진리 정의를 따라 역사가 흘러온 일이 있었던가? 역사란 채찍과 고통과 탄압과 그리고 그것에 항거한 피의 역사와…. 그렇게 인간끼리 만든 것이다.

공동의 선을 위해서 무자비한 권력이나 독재나 부당한 대우나 이런 것들에 그야말로 부당히 항거하고 목숨까지 내어놓고 저항한 민족들이 지금 선진국들 아닌가? 즉 선악과 정의의 문제가 아니라 강함과 지혜로움과 강한 집념과 부당한 권력에 대한 즉각적인 항거와…. 그렇게 힘을 키우고 역량을 높이고 자아와 사회를, 나아가 국가를 주도적으로 발전시킨 국민이 결국 역사의 주인이 되고 자기 자신의 주인이 되어가는 것은 아닌지. 스스로에 의지하고 자립하고 힘을 기르는 것, 그것이 절대 나약하지 않은 민족 국가 개인에게 적용된 진리이리라. 단 자기만의 이익이 아니라 공동의 선을 위하여….

— 직업소명설 —

380년 로마는 기독교를 국교로 인정하였으나 5만 명을 수용하는 콜로세움에서 검투사들의 잔인한 살육전을 로마인들에게 볼거리로 계속 제공하고 있었다. 노예나 전쟁포로 신분인 검투사Gladiator들은 열광하는 로마 관중들을 위한 관람용으로 하루에 40명씩 검투장에서 희생되었다. 그러던 어느 날 수도승인 텔레마쿠스Telemachus가 경기장에 섰다. 그는 이 야만적인 살육전을 즉시 중단할 것을 외쳤고, 결국 관중들이 던진 돌멩이에 맞아 숨을 거두었다. 이 사건을 계기로 당시의 서로마 황제였던 호노리우스Flavius Honorius는 검투장을 폐쇄했다.

사명Calling, 使命이란 한자로 풀이하면 '목숨을 건 심부름'이다. 세상 모든 만물에는 사명이 있단다. 즉 존재 이유가 있다는 뜻이다. 한낱 미물인 지렁이도 흙을 비옥하게 하는 사명을 가지고 존재한다. 그렇다면 인간 존재의 사명은 무엇일까? 무엇이어야 할까? 여러 가지 사명이 있을 수 있겠지만, 캘빈의 직업소명설Calvinism은 '직업이 사명'이란다. 사람은 일을 통해서 자기를 표현하고 존재의 의미를 실현한다. 따라서 직업은 모두가 천직이요, 숭고하다. 자기의 직업에 최선을 다하는 것은 하늘의 소명을 다 하는 것이다.

스웨덴 대사가 발표한 바로는 스웨덴 국민에게는 일job은 사명이요, 소명이란다. 일은 자아실현 수단이며 국민의 기본권이란다. 이 때문에 조세부담률이 40%를 넘어도 세금에 대해서는 불만이 없단다. 루터교 정신에 기반을 둔 사회공헌이나 기부문화가 일반화되고 자기를 키워준 국가와 사회에 보답하고, 그 은혜를 되돌려 주는 것은 당연한 의무라고 생각한단다. 이윤을 목적으로 하는 것이 아니라 사람을 바라보는 것, 나의 수고를 통하여 타인이 누리는 평안과 만족도를 바라보는 것, 그것이 직업의 의미요, 사명이다. 국민소득 5만 달러가 본받을 만한 것이 아니라 그 의식이 본받을 만하다.

우리의 현실은 어떤가. 국내 한 취업포털 사이트에서 직장인 952명을 대상으로 한 현재 직업의 만족도 조사('직장인 증후군 여부' 조사) 결과에 따르면 60.7%의 직장인이 '파랑새 증후군L'Oiseau Bleu'을 겪고 있는 것으로 나타났다. '파랑새 증후군'은 현재 자신이 하는 일이나 직무의 적성이나 비전에는 관심이 없고, 급여가 많고 현재의 일보다 조금이라도 수월해 보이면, 언제든지 떠날 준비가 되어 있는 사람들을 칭한단다. 이러한 파랑새 증후군을 양산하는 데에는 경영자의 이익을 위해서 사원을 부품화하고 파편화하는 기업문화에도 그 책임이 있다고 할 수 있다.

반면, 자신이 몸담은 직장을 제2의 가정, 평생직장으로 여기고 소명을 다 하는 사람들도 있다. 강소기업으로 꼽히는 한 철강회사는 노조가 '영구 무파업'을 선언했다. 이 기업은 직원들이 만족하는 회사를 만드는 것이 오너의 철학이요, 희망이다. 이윤의 극대화나 매출 증가가 기업의 최종 목표는 아니란다. 철강산업에서 자존심을 세워가는 것, 오래도록 지속되는 기업을 만드는 것, 이 회사에는 지난 십수 년간 퇴직자가 없었다. 정년퇴직자도 희망자는 재고용한다.

직업소명론은 노·사·정이 같이 이루어가야 할 과제이다. 노동자만 혹은 기업가만의 의지와 노력으로 이루어질 일은 아니다. 목숨을 바쳐서 헌신하고 싶은 직장을, 직업을 만들어가는 것, 그것은 개인과 국가가 이루어내야 할 그야말로 '소명'이겠다.

그런데 생태의 질서는 약육강식이다. 동물의 세계에서 물리적 힘을 기준으로 보면 호랑이나 사자는 생태계의 꼭짓점이 된다. 약육강식의 세상에서 거룩한 직업소명설만 얘기하는 것이 과연 의심 없이 옳은 얘기일까? 고양이가 병아리를 해치는 것은 고양이 입장에서는 직업소명설에 충실한 일이다. 종업원이 직업 소명을 가지고 열심히 일하면 고용주는 믿음과 양심으로 그 종업원에게 보답하고 대우할까? 경쟁사 사이에서 다투는 기업들의 전쟁터에서 자기 일에 최선을 다하는 것은 경쟁사를 쓰러트리고 승리하는 일이다. 이것이 직업소명설의 결과이다. 과연 직업소명설은 어디까지 의심 없이 수용해야 할까?

경쟁 구도를 부인하는 것은 생태계를 부인하는 것이다. 그렇다면 해결점은 무엇인가? 국가의 역할은 실패한 기업 실패한 인생도 삶의 이유와 근거를 제공하는 것이다. 그리고 다시 시작하도록 하는 것,

그것이 '국가의 소명'이다. 공정한 경쟁 구도를 만들어 주고 경쟁에서 탈락한 기업이나 개인을 삶에서 탈락하지 않도록 돌보는 일, 사람 사는 세상은 동물들이 사는 세상과 다르게 만드는 것, 그것이 궁극적으로 '소명'이라는 의미에 합당한 국가가 만들어 가야 할 인간 삶의 구조가 되리라.

일이라는 것은 고통을 동반하고 부당한 대우가 따라붙는 것이 상례다. 그렇다면 종업원의 입장에서도 이런 상황에 어떻게 대처하는 것이 바람직할까? 이직을 결심하기 전에 자신에게 맡겨진 일에 최선을 다했는가? 이직을 선택하기 전에 어느 정도의 고통은 인내하였는가? 생태계의 구조 자체를 부정하고 자기중심적 시각으로 세상을 바라보고 있지는 않은가? 왜 이직을 희망하는 비율이 그렇게 높게 나타날까? 복권이 당첨되면 제일 먼저 하고 싶은 것이 사직이라면 직업소명설은 전혀 적용되고 있지 않은 불안정한 사회다. 이렇게 되면 직업은 소명이 아니라 슬픈 구속이 된다.

그리고 기독교의 직업소명설은 성직자만이 하나님의 일을 하는 것이 아니라 직업 자체가 성직이라는 의미이다. 열심히 일해서 농사를 지어 절간에 공양미로 드렸다면 그 농부는 사찰에서 염불하는 스님보다 더 소명의식에 충실했을 수도 있다, 직장에서 맡은 일에 최선을 다하고 정직하고 성실하게 지혜롭게 자신의 업무를 수행하는 사원은 목사나 신부보다 더 소명의식이 투철한 사람 일 수도 있다.

급여의 높낮이에 따라서가 아니라 직업의 귀천에 따라서가 아니라 적성과 특기를 기준으로 직장을 선택하는 것이 직업소명설에 충실한 직업관이 되겠다. 농부가 생산한 쌀이 이웃에게 일용할 양식이 되고 근로자가 만든 운동화가 아이들이 운동장을 마음껏 뛰어놀 수 있는 신발이 된다. 급여라는 것, 자본이라는 것은 사회구성원 서로 간 필요를 충족시키는 재화와 서비스를 연결하는 고리로서 역할을 할 뿐이다.

경영주, 기업가의 직업소명설은 무엇일까? 인간은 생태계의 구조만을 따르는 동물이 아니다. 아프리카 밀림에서 사자들이 들소를 사냥하는 것만 보여주는 것은 강자의 철학이다. 기업가가 경영철학, 소명의식이 없으면 그 기업은 순간적 일시적으로는 성공하는 듯 보이지만 곧 하향길로 접어든다. 그것은 기업의 역사가 보여주는 지혜다. 그것은 유럽과 일본의 백년기업을 보면 안다.

백 년 동안 지속되는 경쟁력은 강압이나 회유 혹은 효율성이란 이름 뒤에 웅크린 얄팍하고 경영은 아니다. 동물은 본능을 따르지만, 인간은 소명을 따르는 것이 옳다. 경영주의 소명론(?) 그것은 종업원이 목적이 되는(참 배부른 듯한, 그러나 그것이 진실인) 회사의 건립이다.

_ 강대국의 조건 _

세계권력의 중심은 고대 그리스와 로마에서 중세에는 스페인, 포르투갈 등 유럽으로 이동하였다.

지금 그리스는 국가 부도Sovereign default의 위기를 맞고 있다. 국가권력의 성장과 발전 그리고 쇠퇴의 요인은 무엇일까. 인종의 우수성에 기인하는가? 혹은 국가 시스템이나 운용상의 문제일까? 국력의 원인이 민족의 우수성, 혹은 조직구성원의 자질에 전적으로 연유하지는 않는 것 같다. 왜냐하면, 국가 권력은 지속적으로 이동되어 왔기 때문이다. 우리나라 축구팀도 어느 감독이 사령탑이 되는가에 따라 4강에 오르기도 하고 16강에 문턱에도 좌절하기도 하였다. 그렇다면 결국 구성원의 자질이라기보다는 '다른 요인에 의한 것'이라는 결론에 도달할 수 있다.

대한민국, 근대 이후 전쟁의 폐허 속에서도 가장 먼저 가난을 극복하고 최고의 성장을 이루어 낸 국가이다. 그러나 지금 어쩌면 가장 어려운 시간을 보내고 있다. 남북한 긴장의 문제, 북핵 문제, 심화하고 있는 사회적 불안정성, 정치권의 혼돈, 무너져가는 상호신뢰, 하부구조의 불안정성, 그리고 심화하는 양극화.

중국은 세계의 중앙국가로서의 자부심과 뿌리 깊은 사상과 문화를 가졌었지만 19세기 아편전쟁으로 영국에 무릎 꿇고 말았다. 사실 해양권은 15세기 '정화鄭和'가 먼저 개척했음에도 중국은 '바다의 제국'인 영국에 의해 무너졌다. 왜 중국은 문명과 문화의 상징인 종이와 화약, 도자기를 먼저 발명하였음에도 영국 범선의 화포에 무너지고 말았을까. 아마도 그 원인은 개인의 자율성과 창의성이 최대한 보장되는 '민주사회의 역량'의 차이 때문이 아니었을까? 유럽은 시민혁명을 거쳐 자유와 평등사상이 일반화되면서 산업과 상업이 발달하였다. 즉 시민혁명과 산업혁명이 동시에 일어났다.

인간의 창의성이 자유경쟁을 통해 한껏 보장되는 이런 환경은 문명발달을 가속화되었으며 봉건 권위적인 국가였던 중국과는 달리 영국은 화력과 사거리 면에서 더욱 월등한 대포와 총포를 만들어 낼 수 있었다. 중국의 포탄이 영국의 뱃머리에 닿기도 전에 이미 중국의 전투선은 영국의 화포에 의해 산산이 조각나버렸던 것이다. 권위주의 수직 사회와는 달리 인간의 자유와 권리가 보장되었던 사회적 환경은 이토록 세상의 판도를 바꾼 원인이 되었다. 그리고 그리스의 나태함은 수년이 지나서 다시 방문해 봐도 도무지 진척되지 않는 공사 진행도만 봐도 알 수 있단다.

세계경제포럼WEF이 발표한 2014년 국가경쟁력 평가에서 한국은 144개 국가 중 거시경제와 시장규모, 기업혁신 등에 있어서는 상위권(7~17위)에 속했다. 그러나 제도적 부문에서는 정책 결정의 투명성, 법체계의 효율성, 공무원 의사결정의 편파성, 정치인에 대한 공공의 신뢰도, 사법부의 독립성 등은 82위~133위를 기록함으로써 베트남 우간다보다 낮게 평가되었다. 결과적으로 공직자들이 법과 규제의 구조 뒤에 숨어서 의사결정을 자의적이며 편파적으로 하고 있다는 의미이다. 외형은 성장하였으나 성장동력인 내실과 의식은 밑바닥 수준이라는 얘기이다. 공직사회의 폐쇄성과 권위주의 때문에, 그 은닉된 권위에 눌러 창의성을 발휘할 수 있는 자유로운 경쟁이 이루어지지 않는다면 우리의 미래는 어둡다. 자유민주주의, 법, 조직, 구조…. 외형은 갖췄다. 한비자의 법法과 술術을 흠모한 중국 최초의 통일 국가 진나라는 통일 후 채 20년도 지속되지 못했다. 제도와 조직, 열정과 노력 모두 중요하지만, 정직과 신뢰, 투명성이 확보되지 않으면 그건 허울일 수 있다.

미국 시카고부터 최저임금을 거의 곱절로 올리기 운동을 한 이는 기업인이다. 스스로 미국 최고소득 1%라고 길거리에 팻말을 들고 선 기업 오너이다. 그분 때문에 미국 각 주가 최저임금을 갑절로 올리기 시작한다. 한계기업 영세상인들이 쓰러질 것이란 우려는 기우였다, 오히려 경제가 더욱 안정되고 성장했다.

이렇게 한번 정리해보자. 어떤 권력도 인간의 본질적 생태적 권리를 침해하지 않을 때, 권위주의가 사라지고 민주와 창의성이 일반화될 때, 자유 또한 방종으로 흐르거나 권태롭지 않도록 견제와 경쟁

관계가 형성되었을 때, 깨어있는 이성들이 자유로이 자아를 빛나게 꽃피울 수 있었을 때, 그 국가는, 그 민족은 세계의 주역이 되었다고, 결과적으로 국가경쟁력을 높이기 위해서는 자율성이 억압되는 사회적 권위주의나 혹은 지나친 자유가 가져다주는 나태와 무사안일 모두 옳지 않겠다. 이제 국가나 기업 모두 권위주의는 타파하고 인간의 자율성과 창의성을 최대한 보장하고 경쟁력을 높일 수 있는 생존경쟁의 환경으로 몰아가야 한다. 공기업 공조직도 예외가 될 수 없다.

— 얼간이 —

홍경래의 난은 구한말에 일어난 농민봉기이다. 약 3,000명의 봉기군은 관군의 무자비한 진압에 모두 학살당했다. 약 2,000명의 농민이 참수당했다. 정부의 폭정과 과도한 세금을 더는 견딜 수 없어서 최후의 선택으로 일어난 농민 봉기군들은 관군에 의해 모두 학살되었다. 동학운동이 일어나기 약 30년 전. 동학 또한 고부 군수의 폭정과 과도한 세금을 견디지 못하여 삶을 포기한 백성들의 마지막 선택이었다.

동학혁명은 청이나 일본의 외세를 빌려 자국 농민 백성을 진압한 사건이다. 이것을 빌미로 청나라와 일본은 조선의 내정에 간섭하기 시작하였고 외세의 힘겨루기에 민비(명성황후)는 피살되었다. 위정자들의 싸움이 외세의 힘을 빌려서 이루어지던 조선말, 위정자들이 그들의 권력유지를 위해서 외세를 끌어들여 그들 간의 싸움터가 된 조선말, 어쩌면 우리의 근대사에서 일제 식민지 36년은 당연한 결과였는지도 모를 일이다.

위정자들이 그들의 권력을 유지하기 위해 외세를 끌어들여, 민족까지 팔아버렸다. 자신들의 목숨과 안전을 위해서는 백성을 버리는 위정자가 우리 역사에는 수없이 많았다. 선조는 임진왜란 때 의주로 피난하였고, 거란 침입 때 현종은 나주로, 몽고 침입 때 고종은 강화도로, 홍건적의 침입 때 공민왕은 안동으로, 병자호란 때 인조는 남한산성으로, 구한 말 고종은 러시아 공관으로 아관파천俄館播遷하였다. 나라가 짓밟혀도 백성이 짓밟혀도 그들은 그들의 안위만 보호하면 된다. 강화도로 무신정권이 피신했던 때 뭍의 백성들은 몽고군에게 무참히 짓밟혔다.

싱가포르의 리콴유李光耀, 우루과이의 무히카Jose Mujica는 1960년대부터 1980년대 사이에 군사 독재에 맞서 싸우다가 여섯 차례나 총상을 입었고 총 14년의 세월을 옥중에서 보냈다. 2009년 대통령에 당선되어 온몸에 국민들의 사랑을 받으며 일하다가 2014년 임기를 마친 서민 대통령이다. 그가 취임 초에 '공직자 재산등록법'에 따라 신고한 재산은 1,800달러로, 평소 타고 다니는 1987년산 폭스바겐 '비틀' 한 대와 농기구 몇 가지를 합친 값에 불과하다. 그는 대통령 궁을 노숙자들에게 내어주고 부인 소유의 허름한 농가 주택에서 출퇴근하였으며, 매달 받는 봉급의 90%를 자선 단체에 기부하였다.

세계에서 가장 가난한 대통령으로 꼽히는 무히카는 두 차례나 노벨 평화상 후보에 올랐으며, 교황 프란치스코Francis, Jorge Mario Bergoglio는 그를 가리켜 '현자'라고 칭송하기도 했다. 하지만 그가 대통령으로서 칭송받는 이유는 단지 개인의 생활 태도 때문만은 아니다. 그가 재임했던 5년 동안 우루과이의 경제는 급성장하여 남미에서 가장 잘사는 나라로 바뀌었고, 빈곤율과 실업률이 감소하여 불평등의 격차가 크게 줄어들었으며, 2013년에는 〈세계 투명성 기구Transparency International〉에 의해 라틴 아메리카에서 부패지수가 가장 낮은 나라로 꼽히게 되었다.

어떤 이들은 정치란 '나'와는 아무 상관도 없는 '그네들끼리의 짓거리'라고 치부하며 초연한 태도를 보이기도 한다. 하지만 내가 피땀 흘려 노력한 대가의 4분의 1에서 3분의 1을 세금으로 납부해야 하는 납세자의 측면에서 보자면, 이러한 태도는 도적에게 금고를 맡겨두고서 물욕에 초연한 척하는 도덕군자의 무능이나 위선에 불과할 수도 있다.

오늘날 영어에서 '얼간이'를 뜻하는 단어 idiot의 어원은 idiotes이다. 그리스어에서 idiotes란 공공의 세계에서 벗어나 사적 세계에만 탐닉하는 '위아주의자爲我主義者'를 가리키는 말이었다. 자신이 힘들게 벌어들인 노력의 상당 부분을 세금으로 바치면서도, 정작 그 돈이 '도적 정치가들kleptocrats'의 사금고로 흘러들어 가는지 어떻게 쓰이는지도 모른 채 정치에 초연한 척하는 태도는 바보 멍청이에 불과하다는 의미이다. (이승환 에세이 「두 명의 대통령」)

국민이 국민으로서의 권리의식에 무관심하거나 혹은 이데올로기는 좌파들의 전유물이라고 정부가 교육시킨 대로, 그래서 무관심, 무관여가 선량한 국민의 역할이라고 생각하며 살다 보면 또 역사가 우리를 배반할 수도 있다. 국가는 관심과 개입, 적극적인 참여, 그리고 지배자들의 욕망을 이해한 주인의식을 가진 국민들이 만들어가는 것이다.

_ 깡통 세대 _

전후 세대를 베이비붐 세대라 한다. 전쟁이 지나면 역사적으로 늘 출산율이 증가했다. 감소한 개체 수를 보충하려는 자연의 법칙인지, 허전한 심리를 위로하려는 인간의 심리적 결과인지 알 수 없지만, 우리나라도 해방 이후 남북이 분단되었고 5년 후 전쟁이 발발했고, 3년간의 동족 간의 전쟁이 지난 후 출산율이 급격히 증가했다. 6·25의 동족상잔은 역사 속에서 치유되지 않는 아픈 상처로 남았다. 사상이 무엇인지 권력이 무엇인지, 역사는 늘 이런 질문을 던지게 한다.

그 베이비붐 세대가, 지금은 실버 세대가 되어 간다. 이 세대는 자랄 때는 부모를 봉양하면서 유교적 가부장적 분위기 속에서 자랐다. 먹을 것이 풍족하지 않아서 산으로 들로 나무뿌리, 풀뿌리를 찾아다니고 늘 주린 배를 숙명처럼 안고 자랐다. 그리고 성장한 후에는 중동의 건설현장으로, 월남파병으로, 고속도로 건설 역군으로, 산업발전의 주역으로, 수출만이 살길이라는 정부의 구호를 진실로 알고 열심히 일했다. 가발 팔고 노동력 팔아서 오늘의 역사를 이루었다. 학비가 없으면 독학을 하고, 물려준 부모의 재산이 없으면 신발가게 점원으로 열심히 뛰며 살았다.

어떻게 하든 가난은 극복되어야 했다. 36년간의 일본 통치. 주권을 잃고 떠돌거나, 혹은 황국신민이라는 이름으로 자신의 이름까지도 잃어버린 채 노예적 삶을 살아야 했다. 주권을 되찾기 위해 이역만리에서 독립운동을 해왔고 일본의 패망으로 해방은 되었다. 그러나 작은 반도 국가는 신탁이라는 이름으로 허리가 두 동강이 났으며, 연이은 동족상잔의 참화로 많은 목숨이 희생되었다. 국토는 폐허로 변했고, 전쟁은 그나마도 남아있던 모든 것들을 앗아갔다. 폐허와 절망만이 남아있는 전후의 삶이지만 포기할 수는 없었다. 삶은 어떻게 해서든 또 이어져야만 했다. 뭐든 먹어야 했다. 풀잎이든 나무껍질이든, 그러나 그 폐허는 놀랄 만치 급속히 극복되었다. 세계 모두가 기적이라고들 할 만큼 가난은 속히 극복되었으며 삶을 다시 일어섰다. 피폐한 삶이 극복되는 과정, 그리고 그 주인공들, 그들이 지금의 중·장년이다. 독일의 광부로, 간호사로, 월남 파병군으로 수많은 생명이 희생되면서 가난은 극복되었다.

정치적 변화는 어떠했는가. 이승만 하야, 박정희 대통령 저격사건, 신군부등장, 6·29선언, 문민정부, 삼당합당, 지역 간 분열, 그리고 또 전직 대통령의 자살과 구속…. 어쩌면 한 번도 평안한 정치적 현장을 보지 못하고 지낸 온 세대가 베이비붐 세대다.

생각해보면 한민족의 반만년 역사는 '지게와 바지게'의 역사라고 해도 과언이 아니다. 즉 농기구라고는 지게와 호미뿐이던 시절이 4천

년을 이어왔다. 농업과 수산업이 유일한 경제원이었던 시절이 무한히 흘러 왔다. 그러나 지금 이 시대의 변화는 적응하기 힘들 정도로 급속히 진행되고 있다. 2차 산업, 3차 산업, 이젠 이런 용어조차 의미없어졌다. 무한 속도의 놀이기구를 탄 것 같은, 이 세대는 그래서 더욱 혼란스럽다. 뻐꾸기 울어대던 기나긴 봄날을 들녘에서 소먹이며 보내던 세대가 지금은 하늘도 볼 수 없는 도시의 공간에 갇혀서, 계절을 알 수 없는 환경 속에서 갈피를 잡지 못하고 살고 있다.

그러나 정작 문제는 이 세대의 경제적 문제이다. 자녀에게 모든 것 다 퍼주고 남은 것이 없다. 우렁이는 새끼는 자기 껍질 안에 키운다. 새끼들이 자라면서 자기 어미의 몸을 먹고 자란단다. 어미는 자식에게 모든 것을 다 주어버린다. 모든 것 아낌없니 주는 나무가 되어 결국 빈 깡통으로 남는다. 자녀들에게 마지막 남은 집 한 칸까지 팔아서 결혼비용으로 내어주고 극빈자로 사는 노인들이 많다. 폐지 줍는 노인의 등에 내리쪼이는 햇살 같은 것이 노년의 삶이다. 국가가 책임지는 노후라면 좋겠지만, 아직 복지국가는 멀다. 자기의 자녀는 등에 업고 키운 세대가 지금은 손자까지 키워줘야 하는 세대이다. 자녀가 독립하는데 어느 정도 보탬이 되지 못하는 부모는 부모로서의 자격지심에 늘 우울하고 위축될 수밖에 없다. 집값, 땅값, 자녀들이 스스로 독립하기에는 삶이 너무 어려운 시절이 되었다.

깡통주택이 있다. 융자금 제하고 나면 남는 것이 없는 주택이다. 중

장년, 실버 세대는 깡통주택처럼 깡통 세대다. 자녀들에게 모두 주고 남은 것은 빈 깡통뿐이다. 노후준비, 연금, 보험, 부동산(상가, 주택, 땅), 예금…. 한 조사결과(현대경제연구원)에 따르면 은퇴 후에도 매월 200만 원 이상의 생활비가 필요한데 은퇴한 분들의 월 저축액은 고작 17만 원 정도란다. 실버 푸어Siver poor는 은퇴 후 곧장 빈곤층으로 진입하는 세대를 말한다. 은퇴 후 가구당 4억 5,000만 원 이상이 필요하지만, 현재 노인 4가구 중 1가구는 절대 빈곤상태에 놓여있으며 노인 단독가구의 경우 59.8%가 최저생계비 미만의 소득으로 생활하고 있다.

우리나라 65세 이상 노인 빈곤율이 45%로 OECD 국가 중 최고수준에 이르렀다. 2명 중 한 명은 빈곤층이라는 얘기다. 베이비붐 세대의 평균 총자산은 3억 3,000만 원이며 이중 부동산비중이 75%로 부동산 불경기에는 오히려 이것이 발목을 잡고 있다. 은퇴 후 소득이 생활비보다 적어 실버 푸어로 전락하는 숫자가 2010년 기준 100만 가구로 은퇴 가구 260만 가의 약 40%에 해당하며 그중 여유 있는 생활을 하는 가구는 3.2%밖에 되지 않는다. 그리고 하우스푸어의 대부분이 실버 세대다. 65세 되어서 정년퇴직해 95세에 소회를 얘기하는 분이 그랬다. 정년 후의 인생은 덤인 줄 알았는데 절대 그게 아니었다고, 정년 이후를 대비해야 한다.

한국은 OECD 국가 중 자살률 1위다. 2003년 1위를 탈환(?)한 이

후 줄곧 1위다. 2위와의 격차를 벌려 간다. 10년 전만 해도 45분에 한 명꼴이었는데 지금은 31분에 한 명꼴이다. 대한민국은 우울증 환자가 급증하는 황혼의 공화국이다. 우리나라도 선진국 못지않게 오래 살게 되었다. 1960년대 52세에 불과했던 평균수명이 최근 81세(남자 77세, 여자 84세)로 길어졌고, 2030년에는 90세로 늘어난다고 한다. 30년을 어떻게 살아갈 것인가. 노후준비 하루라도 빨리 시작하고 심각하게 고민하고 미리미리 대비할 일이다. 깡통 세대, 왜 자녀를 위해 스스로 희생해야 하는가? 유럽은 성인이 되면 학비까지도 스스로 마련하게 한다는데 우리는 자녀에 대한 무한책임, 의무에 빠져있다.

홉스의 국가론은
경쟁 사회구조를 적시한 책이다
손자병법은
무자비한 통치술에 관한 책이다

홉스도 손자도 '홉스적'이거나 '손자적'이지 않았다
그들은 인간에 대한 사랑 때문에
책을 썼다

역사는
단면(단편)으로 잘라도 역사다
역사는 인간을 보는 거울이다
그리고
이긴 자의 기록이다

제3장

역사 인문학

_ 세종과 인조 _

역사적으로 세종대왕과 같은 성군이 없겠다. 그러나 개인적으로는 세종만큼 불행한 사람도 흔치 않겠다. 권력의 남용을 우려한 아버지 태종(이방원)은 권세를 부리려는 세종의 장인은 처형시키고 장모는 노비로 팔아버렸다. 또 세종은 아들 두 명을 먼저 저 세상으로 보냈고, 며느리는 동성연애를 했다. 자신은 당뇨와 등창 등 20여 가지의 온갖 질병에 시달렸다. 그러나 세종에게 왕위를 양위하다시피 한 형인 양녕대군은 생을 즐기면서 동생 세종보다 12년을 더 살았다. 양녕은 큰 아비의 첩까지 탐한 사람이다.

이런 개인적 불행에도 불구하고 세종대왕은 그 불행을 넘어 한글을 창제하고 국력을 증강하고 문화를 발전시켰다, 오늘을 사는 우리는 세종의 애민 사상 안에 있는 셈이다. 민족 고유의 문자를 갖는다는 것은 큰 자부심이다. 형인 양녕대군의 삶은 그 한 사람으로 끝나버렸지만, 세종대왕 충녕의 삶은 지금도 우리 민족 안에 살아 있다.

한글의 우수성은 이제 세계가 놀라기 시작하였다. 한글이란 큰 글이요, 바른 글이요, 한 민족이 사용할 하나의 글이라는 의미이다. 펄 벅Pearl S. Buck은 14개의 자음과 10개의 모음으로 세상의 모든 소리를 글자에 담을 수 있는 한글을 극찬했고, 영국의 문화학자인 존 맨John Man

은 모든 언어가 꿈꾸는 최고의 알파벳이 한글이라 하였다, 유네스코는 훈민정음을 세계 문화유산으로 지정하였으며, 인도네시아의 찌아찌아족은 우리글을 수입해 갔다. 인터넷 자판을 두드릴 때도 자음과 모음이 섞여진 우리글은 양손을 번갈아 가면서 균형 있게 사용하게 되어있어 더욱더 그 가치가 돋보인다. 자국의 문자를 갖는다는 것, 이보다 더 큰 문화유산이 어디 있을까. 세계적으로 국가의 수는 204개, 문자의 종류는 28개다. 자국의 문자를 가진 국가가 7개국 중 하나꼴이다. 우리나라가 문맹 비율이 가장 적은 것은 한글이 배우기 쉽다는 방증 아닌가, 이런 문자와 말을 일본강점기에는 사용을 금지했었다.

인조는 반정으로 광해군을 축출하고 왕이 되었다. 서인들과 결탁하여 그들의 세상을 만들었다. 근세 이전까지 당파싸움의 승패는 곧 생사와 직결되었다. 당파싸움에서 패배하면 죽음을 의미하였다. 현재의 정당정치와는 차원이 달랐다. 패자는 귀향 가거나 사약을 받거나 노비로 전락했다. 신하와 임금 간에도 힘의 우위를 차지하기 위한 암투는 지속되었다. 임금에 따라서는 신하들의 세력을 견제하기 위하여 당파를 역이용한 왕도 있었고, 신하들의 권력에 밀리어 왕이 폐위된 경우는 무기지수였다. 한명회는 세조의 지략가로 단종을 폐위시키는 데 큰 역할을 하였고, 세조가 죽고 그의 아들 예종이 개혁정치를 하려 하자 그를 독살한 것으로 추정되는 인물이다. 세계사를 살펴봐도 전쟁에서 패하면 남자들은 죽임을 당하고 여자들은 노예로 팔렸다. 로마, 마케도니아, 에스파냐…. 검투사들이 반란을 일으킨 스파르타쿠스.

인조는 실리 외교를 추구하던 광해를 축출하고 권력을 잡은 후 오랑캐인 금(청)나라와는 손을 잡을 수 없다 하여 파병요청을 거절하였지만, 그 결과 청나라의 침략으로 전쟁에 패하여 남한산성에서 나와서 송파나루인 삼전도에서 머리를 땅에 부딪치며 청의 황제에게 항복하였다. 신하의 나라가 되어 섬길 것을 약조한 한민족의 역사상 최고의 굴욕적 사건이었다. 인조는 청나라에 볼모로 가 있던 소현세자가 돌아오자 권력 싸움의 틈바구니에서 아들인 소현세자까지 죽음으로 몰아갔다.

일제 시대, 역사적으로 보면 우리는 반도 국가로서 중국 대륙의 직·간접적인 지배를 받아오긴 하였지만, 일제 36년처럼 무자비하게 우리 민족을 말살시키려고 했던 시도는 없었다. 일본은 토지조사사업으로 한인들의 토지를 강제로 빼앗았으며, 인구 감소 정책의 하나로 우리 민족을 만주로 강제 이주시켰다. 그 숫자가 1945년경에는 약 200만 명이며, 이 중 스탈린이 연해주의 카자흐스탄·우즈베크 등 중앙아시아로 강제 이주시킨 숫자가 약 20만 명이다, 한민족의 역사를 왜곡하고, 국민은 황국신민으로 만들어 민족과 국가를 완전히 말살하려 하였다. 식민사관은 광범위하고 철저하게 진행되었다. 4~6세기 일본이 한반도를 지배했었다는 임나일본부설, 기자조선, 고려장, 광개토대왕 비문의 조작…. 사실 일본은 백제의 지배를 받았고, 마한의 속국이었다고 1906년 우리의 교과서에는 기록되어 있다.

우리는 왜 일본의 지배를 받을 수밖에 없었는가? 세종과 인조, 그리고 조선역사 500년 동안 왕 권력자들, 일제 강점기를 지나 정부 수립 이후로 연결되는 우리의 정치사…. 2차 대전 당시 독일에 협조했던 르 몽드지의 주요한 보직자는 전후에 처형되었다. 비록 신문기자라 해도 예외는 없었다. 자신들의 탐욕을 사랑한 위정자와 국가와 민족을 사랑한 위정자, 정리된 역사와 정리되지 않은 역사, 그 차이는 분명히 존재한다.

— 클레오파트라와 압구정 —

클레오파트라Cleopatra는 이집트의 여왕이었다. 그녀는 기록으로만 보아도 남편을 3번이나 바꿨다. 첫 번째는 남매지간이면서 부부지간인 프톨레마이오스Claudius Ptolemaeus 13세다. 그녀는 남편과의 경쟁에서 밀려나 권력을 잃게 되자 당시 로마의 집정관이었던 카이사르에게 도움을 청했고, 당대 시대적 영웅이었던 카이사르는 양국간의 전쟁인 알렉산드리아 전투에서 승리하여 그녀에게 왕권을 안겨주게 된다.

그 후 그녀는 카이사르Caesar와 사랑에 빠져서 꿈같은 시간을 보냈으나 카이사르는 시리아전을 계기로 본국으로 돌아간다. 그러나 카이사르도 그의 권력을 늘 시기하던 카시우스에게 배신당하고 자신의 충복이라고 생각했던 옛 애인의 아들인 브루투스Brutus의 칼에 살해당하고 만다. 이 소식을 전해 들은 클레오파트라는 당시 형식적인 왕이었던 자기의 동생을 권좌에서 밀어내 처형하고 카이사르와의 사이에서 낳은 아들을 왕으로 세운다. 클레오파트라는 카이사르가 암살된 로마를 평정한 안토니우스Antony와 또 사랑에 빠지게 된다. 그러나 클레오파트라의 품을 벗어나지 못한 안토니우스Augustus는 반란을 일으킨 옥타비아누스에게 패하여 자결하고 만다. 이 소식을 들은 클레오파트라 또한 독사에 물려 자살한다.

네로시대로 가보자. 네로는 부왕을 살해한 그의 어머니의 도움과 섭정으로 17세에 황제가 되었다. 그는 애초에는 건강하고 쾌활하였으며 운동과 음악, 시에도 능하였다. 어머니의 섭정에 지친 그는 주위의 도움을 얻어 어머니로부터 독립하게 된다. 이 당시 네로는 그의 친구의 부인에게 빠져있었다. 결국 그는 본부인인 옥타비아누스를 버리고 친구의 부인과 정식으로 결혼한다. 이런 상황에서 네로와 권력 싸움에서 패배한 그의 어머니는 급기야는 아들을 여자로서 유혹하기까지 하게 된다. 이런 어머니를 네로는 뱃놀이를 가장하여 배를 뒤집어 살해하려 하였으나 실패하자 자객을 보내어 살해하게 된다. 네로 당시에 발생한 로마의 대화재(64년)는 유명하다. 결국 그도 반란군에 쫓기어 31세의 나이에 자결하고 만다.

서울의 부자 동네로 강남에는 '압구정狎鷗亭'동이, 강북에는 '세검정洗劍亭'이 있다. 아이로니컬하게도 수도 서울의 강남과 강북의 가장 대표적인 지역이 역사적으로 큰 의미를 담고 있다. 서울 강북에 한 달 난방비를 수십. 수백만 원씩 부과되며, 차고에는 외제 차가 즐비하게 주차되어있는 동네가 있다. 이곳은 공기 맑고 환경 좋은 그림 같은 동네다. 이곳이 바로 세검정이다. 세검정이란 정자는 서울특별시 기념물 제4호로 조선 영조 24년(1748년)에 건립되었다.

인조반정 때 이귀, 김유 등이 이곳에 모여 광해군 폐위 결의를 하고 '칼을 씻었다'고 하여 그 이름이 세검정이 되었다. 지금은 광화문이 가까우면서도 천혜의 자연을 자랑하는 동네이다. 광해군은 1592

년 임진왜란이 발생하였을 때 적극적인 항전활동을 하였고 정유재란 때에도 전라, 경상도에서 큰 역할을 담당하였다. 광해군은 선조가 사망한 후 적자인 영창대군과 왕위계승문제로 갈등하였고, 결국 영창대군을 강화에 위리안치시킨 후 사약을 내린다. 그 후 광해군은 인목대비를 서궁에 유폐시키는 등의 문제로 서인들과 암투를 벌였고, 결국 서인 주도의 인조반정에 의해 폐위당하였다.

압구정狎鷗亭은 한명회의 정자이다. 압구정은 글자 그대로 한강변에서 '물새를 희롱'하며 유유자적하게 노닐던 당시 최고의 권세가 칠삭둥이 한명회의 정자이다. 한명회는 수양대군을 왕위에 등극시킨 인물이며 단종 복위운동을 좌절시킨 인물이다. 그리고 세조 사후에는 수양의 아들이지만 자신과 불편한 관계였던 예종을 독살(추정)하는데 적극적인 역할을 담당하였다고 보이는 인물이다. 나는 새도 떨어뜨리던 무소불위의 권력가 한명회도 성종 5년에 영의정과 병조판서에서 해임되고 또 자신의 정자인 압구정에서 명나라 사신을 사사로이 접대한 것이 화근이 되어 모든 관직을 삭탈 당하게 된다. 연산군 10년 갑자사화甲子士禍때는 윤비尹妃 사사賜死 사건에 관련되었다 하여 부관참시되었고, 후에 중종반정이 일어나 신원된 인물이다.

예종은 세자시절 세조인 아버지를 대신하여 국정을 이끌 정도로 출중한 능력을 지녔으며, 지혜와 덕을 겸비하여 성군聖君의 자질을 보였었다. 그가 재위하였던 1년 2개월이라는 짧은 기간에도 예종은 많은 업적을 이루었다. 『조선왕조실록』에 관한 인터넷 기사만 보아도 예종의 독살을 추정할 수 있는 정황은 무수히 많다. 예종은 즉위 즉시 구상하였던 개혁을 시행하여 훈구대신들을 압박하였다. 무엇보다 대신들의 주 수입원이었고 세력을 키우는 데 큰 역할을 한 '분경'을 금지함으로써 대신들과 척을 지게 되었다. 이에 권력을 꿈꾸어왔던 인수대비, 정희왕후가 당시 권세가였던 한명회, 신숙주 등과 손을 잡고 예종을 제거하였다. 개혁을 진두지휘하던 스무 살의 예종이 갑자기 승하한 것이다. 예종이 독살되었다면 한명회는 단종과 예종 두 임금을 살해하는 데 중요한 역할을 한 셈이 된다. 세조(수양대군)의 지략가요 충직이었던 한명회가 결국에는 세조의 아들인 예종을 죽인 사건에서 권력의 실체와 민낯을 여실히 보여준다.

역사는 단면으로 잘라도 역사다. 역사는 인간의 속성을 보여준다. 권력의 속성, 욕망의 실체, 냉철하고 무자비한 정치의 진면목, 그리고 그것을 따라간 개인과 국가의 흔적을 역사는 분명히 보여준다.

_ 역사는 흐른다 _

고려 무신정권을 살펴보자.

고려 18대 왕인 의종毅宗(1127~1173)은 향락을 좋아하여 늘 연회를 베풀었다. 어느 날 연회석상에서 무신인 노장 이소응이 젊은 문신 한뢰에게 뺨을 얻어맞고 희롱당하는 것을 보고 정중부 등 무신들은 격분하여 반란을 일으켜 문신들을 모두 제거하고 의종을 이불에 쌓아서 연못에 던져버렸다. 정중부와 같이 거사를 일으켰던, 이의방과 이고는 권력 다툼에서 이고가 죽임을 당한다. 그 후 이의방이 득세하여 그 권력이 비대해지자 정중부의 아들 정균이 또 이의방을 살해한다. 그러나 정균은 득세 후 계속되는 폭정을 일삼았고 계속 민심을 잃어가던 정균과 정중부는 청년 장수 경대승에게 살해된다.

죽인 자는 또 죽임을 당하는 그야말로 권불십년이 계속 이어진 것이다. 경대승 이후 권력을 잡은 이의민은 최충헌 일파에게 제거당하게 된다. 그 후 최충헌은 4대에 걸친 무신 시대를 열어가게 된다. 최충헌은 실질적 권력자로서 허수아비 왕을 5명이나 교체했고, 이를 본 노비 만적은 "왕후장상이 어찌 씨가 따로 있느냐"며 난을 일으킨다. 최충헌이 24년 동안 장기 집권할 수 있었던 것은 철저한 반대파 숙청 때문이었단다. 반대파뿐만 아니라 잠재적 반대세력까지 모두 제거해

버렸다. 자신을 도와 거사를 했던 충신들은 일찍 죽였고 권력에 도전 가능성이 있는 동생마저도 죽여 버렸다. 정중부의 무신의 난 때보다 훨씬 많은 사람이 죽임을 당했다. 그리고 자신의 안전을 지켜주는 시스템을 만들어 철저하게 관리하고 어디든 첩자를 심어두어 반대세력은 조기에 소멸시켰다.

이렇게 무신정권의 집권자들이 자신들의 권력유지에만 골몰하는 동안 고려 백성들은 몽고군에게 도륙당했다. 무신정권과 왕족은 해양전투에 약한 몽고군을 피해 강화도로 피신해 있는 동안 백성들은 30년간 몽고군에게 짓밟혔다. 최충헌의 노비였던 김인준은 주인의 애첩과 정을 통하기도 하였으나 결국에는 최씨 집안을 마지막 권력자인 최의를 살해하고 집권한다. 그러나 김인준 또한 그가 감옥에서 구해준 임연에게 살해당하게 된다. 고려 무신정권의 역사는 권력 앞에서, 이해관계 앞에서, 개인적인 영달과 득세를 위해서는 인간이 얼마만큼 포악해질 수 있는지를 적나라하게 보여준다.

신뢰와 믿음은 늘 역이용당하였고, 도덕과 선, 인간적 도의 이런 것들은 인간의 이기적 욕망 앞에서 참으로 보잘것없고 무의미한 것들이었으며, 약한 자의 자기변명이 되어왔음을 역사는 보여준다. 개인의 영욕을 위하여 이렇게 생사를 건 권력의 암투가 일어나는 동안 백성들의 삶은 피폐해졌고, 국가는 존폐 위기로 치달았다. 반면에 위정자가 온갖 개인적 어려움을 이겨내고 백성을 사랑하는 마음이 깊으면, 그 백성들은 또 얼마나 풍요로움과 안식을 얻을 수 있었으며, 국가는 또 얼마만큼 발전할 수 있었는지도 세종대왕은 역사 속에서 보여준다.

우리의 현대사는 어떤가. 이승만과 김구, 4·19, 이승만의 하야, 5·16 군사쿠데타, 박정희, 경제발전, 유신헌법, 김재규, 전두환, 광주민주화운동, 6·29선언, 단일화하지 못한 두 김 씨와 노태우, 3당 합당 김영삼, 김대중, 그리고 그 아들들의 비리. 노무현의 자살, 이명박, 박근혜….

민주주의는 역사 속에서 수많은 피를 요구하며 실현되어왔다. 지금 미국을 위시한 자유민주주의 체제는 인류가 찾아낸 최고의 정치 체제로 간주하고 있다. 권력분립을 통하여 삼권을 분립하고 일정 기간 후 선거를 통하여 권력을 교체하고, 그러나 이러한 정치적 안정과 성장도 그리하지 않았으면 더 좋았을 수많은 혁명을 거친 이후에 이루어졌다. 시민혁명, 대혁명, 독립전쟁…. 그러나 투표로 결정되는 정권교체가, 교체되는 권력이 교체 이전의 권력과 늘 비슷하며 백성으로는 선택할 대안이 없다고 생각되면 사실상 민주주의는 진전되기 어렵다.

일본은 노벨상을 25(과학상 15개)개 수상하였음에도 우리는 노벨 과학상 하나 받지 못하는 현실을 직시할 때 우리 민족이 일본과 다른 점은 무엇일까. 서양에 유학하지 않고 노벨상을 받은 성과를 설명하기 위해서는 일본 수상자의 학문적 자존심, 국민 각자의 독서 열기, 메이지 유신을 통한 외국문물을 수용하고 접목하는 그들의 변화과정을 봐야 한다. 일본이 세계의 강대국이 된 이유는 분명히 있다. 케임브리지대 과학문화학자 장하석 교수는 외국의 학문만 수입해서 반복해서 사용하거나 적용하는 한국인의 서양 학문에 대한 접근 태도를 '진리 아니면 수단'으로 받아들인다고 꼬집고 있다. 즉 과정에 대해 철저한 분석과 검증 없이 결과만을 수용해서 인용하고 있다는 것이다.

김용운 교수가 말하는 '원형사관原型史觀'에 의하면 우리 민족의 원형사관은 '홍익인간'과 '인내천'이다. 사람을 널리 사랑하고 사람의 인권을 하늘과 같이 본다는 의미이다. 우리 민족은 반도 끝에 매달린 작은 국가임에도 불구하고 우리 고유의 문자와 언어를 가진 독립 국가로 지금까지 존재해 왔다.

인권존중 사상도 힘에 근거한다. 부당한 권력에는 강력하게 대항하는 것, 과정상 최선을 다할 것, 착함으로 표현된 나약함이나 과정상의 부실을 끌어안은 결과는 분명히 미래가 없다는 것은 우리가 직시해야 할 역사의 내용이다.

사람을 사랑하고 사람을 존중하는 민족, 사유와 사상이 깊은 민족, 나약으로 인식된 선함을 너머 끊어질 듯 이어진 우리의 끈기와 인내가 강함과 자존으로 다시 인식될 수만 있다면 우리의 미래는 밝다.

_ 화담 서경덕 _

집단무의식集團無意識, Collective unconscious이란 것이 있다. 심리학자 융Carl Jung은 원시적 이미지라고 불리는 잠재적 이미지의 저장고를 이렇게 불렀다. 그리고 집단무의식의 여러 가지 내용을 태고유형archetype이라고 불렀으며 동의어는 원형prototype이다.

집단무의식이란 오늘을 사는 우리에게 태고로부터 축적되고 내재한 DNA 같은 것이다. 즉 오늘의 우리는 우주에서 떨어진 개체가 아니라 생을 거듭하면서 축적된 역사와 업장이 숨겨져 있다는 것으로 이해할 수 있다. 물론 업이란 말 자체가 불교적 인연설에 근거한 관념적인 것이며 서양의 생물학에서는 이를 유전자로 설명하고 있다.

역사의 집단무의식은 오늘은 어제의 결과라는 의미다. 오늘은 단순한 오늘이 아니다. 어제의 결과들이 오늘을 만들어 내는 것이다.

이렇게 시작하는 것은 우리의 현실을 집단무의식으로 한번 접근해 보고자 함이다. 조선의 역사는 당파 혹은 사색당쟁의 역사로 보는 시각이 틀리지 않는다. 중종반정, 인조반정, 사대사화…. 그 뿌리가 오늘을 사는 우리의 업장이 되어 온 것은 아닐까. 다툼이 없는 시대와 국가가 없다 하더라도 다툼의 내용이 문제다.

역사는 보는 이의 관점에 따라 시각이 달라질 수 있으므로 각자 해석의 문제이다. 즉 '역사는 관점이지 사실Fact이 아니다'는 말도 틀리지는 않지만, 히틀러, 무솔리니 같은 이들을 인간종을 개량하기 위해 인종청소를 한 선각자로 보기는 어렵다. 인류 공동의 번영과 평화를 존중하고, 자주국방과 독립을 자존의 기준으로 삼는 역사관이라면 보편적 시각이라 할 수 있으리라

조선의 역사를 간단히 정리하자면 정권의 성격이 어떠하든 간에 관직에 나가서 일신상의 영화를 기하던 자들과 민족의 장래를 걱정하며 잘못된 정책이나 인사 혹은 왕권의 타락에 대해서는 목숨을 걸고 간하며 지조를 지킨 분들로 나눌 수 있겠다. 일반적으로 사림파와 훈구파라 일컫는다. 조선의 교육기관은 향교와 서원이 있었고 향교는 국립, 서원은 사립학교였으며 서원을 중심으로 사림파들이 후진을 양성하고 힘을 모으기도 하였다. 보편적 편의적 나눔이다.

중종반정이야 연산군이 괴팍하고 패륜적이며 조현병 환자 같았으니 반정은 당연한 귀결이라 하겠다. 그러나 광해군이 폐위된 인조반정은 시각의 차이에 따라 달리 해석될 수 있다. 광해군은 선조의 서자출신으로 적자인 영창대군을 죽이고 인목대비를 폐위하고, 폐모살제라는 죄목으로 폐위되어 강화도에 유배되었다. 광해군은 북인(曺植계)인 정인홍, 곽재우 등 북인들과 더불어 의병활동을 하였고 임금이 되었다. 그러나 인조반정으로 물러났으며 다시 남인(李滉 계)과 서인들이 득세하였다. 무오사화는 단종의 폐위와 세조의 왕위찬탈을 비난한 것이 발단이 되고, 기묘사화는 연산군을 몰아내고 새로 탄생한

권력이 획기적 개혁정치를 펼치고자 도학정치라 일컬어지는 조광조의 혁신적인 정책으로 보수세력을 압박하는 과정에서 강력한 저항과 음해走肖爲王가 일어났고, 그 결과 개혁세력이 축출된 사건이다.

이런 보수와 개혁, 훈구와 사림의 대결은 조선은 국력을 잃어 갔고 결국 나라를 잃고 일제의 식민지하에서 36년을 보내야 했다. 그 이후 한반도는 38선으로 반으로 나뉘었고 훈구세력들은 일제에 동조하면서 세력을 유지하였고 해방 후에도 그들은 청산되지 못하였으며, 지금도 득세하고 있다. '정리되지 않은 역사'는 끝까지 늘 언제나 항상 민족의 미래를 발목 잡고 있는 것이다. 과거를 잊고 미래로 가는 것은 과거가 잊히기를 바라는 이들의 달콤한 유혹이다.

우리 한국인에게 집단무의식은 무엇일까? 어떻게든 권력의 끝자락이라도 부여잡고 입신양명하면서 정경유착이든 담합이든 어떤 수단과 방법을 써서라도 지배자, 가진 자의 위치에서 서민들을 굽어보는 위정자들, 과거가 청산되지 못하면 그 쓴 뿌리는 민족과 백성의 무의식 속에 깊은 뿌리로 남아 앞으로도 지속적으로 후손에게 전해질 듯 싶다. 임시 모면, 피신, 보신, 임기응변, 변명, 자기 합리화…. 청문회에서 거짓 증언을 하는 것은 감히 외국에서는 상상하지도 못할 일이다. 정직성의 잣대가 우리와 외국이 다른 이유가 이런 집단무의식에 근거한 것 아닐까?

아픈 역사를 뒤로하고 서경덕과 황진이 얘기로 한번 쉬어(?)가 보자. 대제학보다 처사를 더 높은 경지로 본 것은 이런 아프지만 피할 수 없는 우리의 역사가 가져다준 결론 일지로 모르지만….

서경덕은 황진이 박연폭포와 함께 송도삼절로 꼽힌다. 황진이는 대제학을 지냈던 소세양과 10년 면벽의 지족선사를 정욕에 빠져 헤어나지 못하게 한 뒤 화담 서경덕을 마지막 목표로 삼았다. 그러나 서경덕은 명성답게 끄떡도 하지 않았다. 그녀는 서경덕에게서 우주의 철리, 인성의 본질, 인간의 참된 삶과 사랑을 배웠다『신정일의 새로 쓰는 택리지 6』에 나오는 내용이다.

어제 내일이면 그릴 줄을 모르던가/ 이시랴 하더면 가랴마는 제 구태여/ 보내고 그리는 정은 나도 몰라 하노라
내 언제 신이 없이 임을 언제 속였관대/ 월침삼경에 온 뜻이 전혀 없네/ 추풍에 지는 잎 소리야 낸들 어이 하리오
동짓달 기나긴 밤을 한 허리를 베어내어/ 춘풍 이불 아래 서리서리 넣었다가/ 어른님 오시는 밤이 어드란 굽이굽이 펴리라

황진이, 님을 보내고도 길게 남은 산 그림자 같은 정을 버리지 못해 동짓달 긴 밤을 잠 못 이루고 있다.

마음이 어린후니 하는 일이 다 어리다 /만중 운산에 어내님 오리마

난 /지난잎 부난 부난에 행여 귄가 하노라

황진이를 그리는 서경덕의 마음, 기의 세계를 터득해도 임에 관한 그리움은 남는가 보다. 정을 끊어버리는 비인간도, 정에 빠지는 몰인간도 아닌 서경덕을 우린 사랑해야 하고 사랑할 수밖에 없겠다.

— 매월대에서 —

매월대梅月臺폭포, 선암폭포라 하기도 한다. 매월대는 조선 초 김시습의 호를 따서 매월대로 이름하였다. 그는 세상사 등지고 은거하며 보내던 강원도 철원 근남면에 있는, 깎아지른 절벽 같은 매월대 앞에서 움막을 짓고 수년을 칩거하였다. 그는 생육신 중 한 사람으로 위험을 알면서도 사육신을 장사 지내준 사람이다. 그가 경멸하던 정창손이 우의정이 되자 관직을 버리고 세상을 등지고 시를 쓰고 '금오신화'를 저술하고….

매월당 김시습金時習, 천재는 태어나는 부분이 많다. 5세에 이미 주변을 놀라게 해 신동 소리를 들은 사람. 세조가 왕위를 찬탈하고 어린 조카를 끝내 죽일 수밖에 없는 정치 현실 속에서 그의 고뇌도 컸으리라. 정치란 김정은이 형과 이모부까지 다 숙청하는 북한이 지금도 보여주는 현실이다. 역사란 과거가 아니라 현재 보고 있는 실제상황이다.

김시습, 시골 관리나 하면서 시나 짓고 그렇게 세상을 살았으면 어땠을까? 유교의 뿌리 깊은 신분제도, 사농공상, 양반과 상놈…. 누구나 시대를 산다. 이 분 또한 능력을 갖추고 태어나 자기의 뜻과 능력을 펼쳐보지 못하는 한이 컸겠다. 최치원이 그랬다. 당나라 때 토황

소격문討黃巢檄文을 지을 만큼 뛰어난 문필가요 행정가였는데 귀국한 신라의 국내 정치사회 상황은 타락되었고, 무능력하고 사익에 밝은 정치가들로 더불어 기울어가는 신라의 국운을 바로 세워보려고 시급하게 개선해야 할 시무십일조時務十一條를 건의했건만 수용되지 않는 현실의 장벽을 넘지 못하고 은둔과 칩거로 세상을 등졌다.

무능하고 형식논리에만 빠진 정치가들, 그들은 국가의 발전보다는 자신의 입지를 위해 일한다. 마키아벨리Niccolò Machiavelli의 시각을 갖고 세상은 원래 오로지 자신의 영욕을 위해 투쟁하는 전쟁터라 생각하는 것이다. 이런 상황에서는 상생, 배려, 헌신, 이런 순수한 의지는 늘 상대에게 역이용당하고 세상을 보는 눈이 없는 관리를 또한 세상을 보는 눈이 없는 왕이 임명하여 나라는 망국의 길로 가는 것이다. 조직이나 기업이나 어디 다르랴?

고구려가 멸망하면서 국토는 축소되었지만, 세상을 읽는 '힘의 작용과 반작용'을 이해한 김춘추가 당과 연합해서 고구려를 멸망시킨 것 아닌가. 어느 나라 어느 조직, 국가 모두 말기적 정권은 사욕을 취한다. 서태후는 청나라를 끝장내는 데 크게 이바지하였고, 영친왕은 우리 민족이 일본에 짓밟힐 때 일본 여인과 결혼해 유럽 여행을 다녔다. 만주 독립운동본부로 밀입국시키려는 독립군들의 목숨 건 권유까지 일신상의 이유로 거부해버렸다. 그 결과 조선을 집어삼킨 일본은 한민족의 흔적을 없애버리려고 했다. 만주로 북해도로 수십만 명씩 탄광 노역자로 보내버리고 조선인의 성까지 바꿔 조선이라는 나라의 역사까지 없애버리려고 했다.

일본인은 이처럼 우리의 깊은 원수인 것이다. 위안부는 조선의 여인을 한낱 성의 노리갯감으로 이용한 아픈 과거사이다. 예나 지금이나 국제정세는 피할 수 없는 현실이요, 외면해서는 안 되는 의무다. 규칙이 맘에 들지 않는다고 마라톤을 기권하면 그건 비겁함이다.

부당한 권력에는 강하게 맞서고 개인의 인권을 무시하는 어떤 처사나 대우에도 강력하게 대처하고, 그리고 진실에 반하는 어떤 행위든 강력하게 제지하거나 처벌하고, 인仁이나 사랑이란 무제한의 인내가 아니다. 오른뺨을 때리면 왼뺨을 돌려대라고 종교가 있는 것이 아니다. 돌 위에 돌 하나를 남기지 않게 불의나 부당이나 부정에는 강하게 맞서는 것이 진정한 종교이다.

하늘의 뜻이라는 이름으로, 천 리의 이치를 다진다는 명분으로 가치체계를 호도하고, 그 명분이라는 허상에 속는 일은 자존을 버리고 소멸로 가는 길이었다. 이것은 극단주의, 극우 극좌가 아니라 역사 속에서 우리가 얻는 결론이다.

나는 누구인가?

우리는 누구인가?

'누구?'라고 묻는 것은

질문으로서 합당한가?

그리고

욕망이 만들어 낸 허상은

어떻게 존재하는가?

제4장

철학 인문학

_ 상식의 인문학 _

•궁극적 진리는 알 수 있는가?•

(이것은 정말 난해하며 인류의 시작부터 지금까지, 앞으로도 영원토록 제기될 질문이다. 그러나 외면할 수 없고 외면되지 않으며 가장 본질적이고 근원적인 질문이기도 하다.)

우선 진리를 말하기 전에 할 질문들이 있다. 왜 진리를 찾아야 하는가? 그리고 왜 종교는 늘 인간과 같이 있어왔는가? 그리고 진리는 무엇이며 종교는 또 무엇인가? 종교와 진리의 관계는 무엇인가? 그리고 왜 이런 질문을 하는가? 아마도 그것은 인간의 불완전성 그리고 시공간 속에 존재하는 인간의 제한성, 그리고 그것을 자각하는 능력 때문이 아닌가 싶다.

사실 진리라는 것을 정의할 수도 없고 종교라는 것을 정의할 수도 없는데 '무엇인가?'라고 묻는 것은 처음부터 잘못된 질문일 수 있다. 그러나 정의할 수 없고 알 수 없는데도 불구하고 질문할 수밖에 없는 것은 인간이 갖는 내재적 제한성이 이끌어내는 불완전성의 반증에 기인한 완전성으로의 지향성 때문이겠다.

그래서 이러한 질문은 인류가 생성된 이래 지금까지 제기되어온 질문이며, 존재의 근원을 알고자 하는 욕구는 '신은 누구인가? 인간은 누구인가?' '우주는 무엇'이며, '있음'은 어떤 의미가 있는가? 등의 철학적 질문으로 연결되겠다. 그러나 이런 인간존재가 가질 수밖에 없는 이런 질문들은 생존과 성공의 경쟁 구도 속에서 언제부터인지 뒷전으로 밀려나 버렸다.

한국 최고의 재벌이 생사의 갈림길에서 쏟아낸 『마지막 질문(김용규, 2013, 휴머니스트)』처럼, 모두가 부를 쫓고 있는 세상, 부의 정점에 선 자가 마지막으로 쏟아낸 질문은 이처럼 존재론적, 철학적 질문이었음을 고려한다면 우리의 논의가 필요하거나 무시될 수 없는, 잠시 보류된 사안임은 틀림없다.

진리에의 접근법은 우선 철학과 종교라 할 수 있다. 철학과 종교가 진리에 접근하는 길이라는 대단히 보편적인 가정하에 생각해본다. 불교, 기독교, 유교, 회교….

불교는 깨달음의 종교이다. 제한된 이성을 가진 인간이지만 궁극적 진리를 깨칠 수 있다는 가정하에 불교는 성립한다. 깨달은 자가 곧 부처이다. 그러나 기독교는 인간은 깨달을 수 없는 '제작된(?) 피조물일 뿐'이라는 제한성에서 출발한다. 어쩌면 인간 자신을 부정하는 것, 자기 자신을 부정하고, 오로지 신을 따르고 신을 섬기고 신(하나님)으로 채우는 것이 기독교의 인간관이다. 절대적인 진리는 하나님이기 때문에 인간의 사고, 인간의 판단, 인간의 자만심, 이런 모든 것은 비

진리의 달콤한 유혹이라고 보는 것이 기독교의 진리관이다.

유교(성리학)는 우주의 생성운행 원리를 사색적으로 철학적으로 탐구해 간다. 이성으로 진리를 발견해 보겠다는 자세로 임하는 것이 유학(성리학)이다. 명리학 또한 우주와 인간 본질에 대한 이성적 접근이다.

이슬람교 또한 신(천사 가브리엘)이 인간에게 말하였고 인간은 그 신의 말을 따르는 인격적인 신을 가정한다. 우리의 전통 종교인 동학(천도교)은 최재우가 겪은 신의 체험으로부터, 신을 만남으로부터 시작되었다. 최재우는 최치원의 후손이다.

그리고 철학은? 철학은 사유의 학문이다. 그 사유 또한 종국적으로 '궁극적 앎'에 대한 사유이다.

유교는 종교라기보다는 철학이며 유학이다. 불교는 다소 철학적으로 보인다. 절대적 신을 가정하지 않고 인간이 주체가 되어 궁극적 앎에 도전하는 것이 철학이며 궁극적 앎이 불가능하다고 전제하고 절대적 존재에의 의탁이 종교라면 이렇게 볼 수 있다.

매우 간결하고 상식적이며 자의적인 정의일 수 있다. 그러나 너무 종교적이거나 철학적으로 접근하면 오히려 더 난해해지거나 협곡에 빠져버리는 위험(?)을 제거하기 위해서 상식의 보편성이 기대어 살펴보았다.

그런데 종교가 인간에게 이해되거나 적용될 때 과연 절대적인 가치와 기준을 설정하는 것이 어떤 의미가 있을까? 즉 절대적 가치와 기준이라고 생각하는 것들이 과연 절대적이긴 한가?라는 질문은 당연히 전제되어야 하지만 그렇지만 그렇게 하면(이성 부정) 모든 것들이 종교와 철학의 모호성에 녹아 있어 아무런 정의도 접근도 불가능하다.

우선 '진리를 알았다', '깨달았다' 혹은 '신을 믿는다'고 가정하고 그것을 의미를 생각해보자. 우선 '신 혹은 진리를 안다'는 것이 과연 어떤 의미가 있는가. 인간이 안다는 것의 내용은, 인간 이성의 한계와 범위 내에 들어온 것만을 가지고 인식하거나 이해한 후 '알았다'고 표현할 것인데 그 범위가 참으로 좁고 미미하다면 안다는 것조차 광대무변한 영원성의 진리 앞에서는 어쩌면 소의미 혹은 나아가 무의미가 될 수 있다.

우리가 안다는 것의 범위가, 지각의 범위가 아주 제한적이라면 '알았다 혹은 궁극적 진리를 찾았다, 신을 찾았다'고 한다고 해도 찾은 것이, 안 것이 온전한 진리가 아닐 수 있다. 예를 들면 강아지만 사는 세상이라면, 강아지가 미적분을 풀 수 있을까? 강아지는 미적분이라는 것이 존재한다는 것 자체를 알 수도 없다. 강아지가 미적분을 알았다는 것이 가능할까? 똑같은 논리가 인간에게 적용되지 않을 수 없다. 도대체 인간이 무엇인가. 아주 제한된 보잘것없는 인식 기능을 가진 피조물일 뿐일 수 있다. 물론 영원성을 내포한 하나의 유기적 개체 일 수도 있다.

만일에 인간이 제한된 공간과 시간에 갇힌 혹은 인간 이성의 한계가 이처럼 대단히 제한적이라면 '신을 찾았다' '진리를 알았다'는 개념부터가 애당초 어처구니없는 자가당착이요 어불성설일 수도 있다. 인간에게는 신을 알거나 참 진리를 찾는 것이 애초에 태생적으로 불가능 것일 수 있기 때문이다. 평면은 입체를 담을 수 없다. 그것을 시도한 것이 피카소의 그림이라고 한다. 그러나 그 그림자만 혹은 느낌만이라도 담아낼 수 있다면 그것만 해도 대단한 시도가 아닐까?

진리에 접근하는 방법과 가정을 두 개로 나눌 수 있는데 하나는 최종적으로 신 혹은 진리에 대해(인식 기능 이성을 통해) '알 수 있다'고 전제하는 것이다. 또 다른 하나는 인간은 궁극적 진리를 '알 수 없다'고 전제하는 것이다. 알 수 있을 것이라는 전제하에 궁극적인 진리를 찾아가는 과정이 철학하는 길이며, 그러지 않고 이성적 한계, 인간의 한계를 가정하고 이해가 아니라 절대자에 대한 믿음으로 접근하는 방식이 종교라고 할 수 있겠다. 물론 개략적인 범주로서의 나눔이다. 철학도 종교적이기도 하며 종교 또한 철학적이기도 하다. 서양 철학자 중 많은 학자는 종교인보다 더욱 종교적으로 보이기도 한다.

'알 수 없다'는 전제하에 믿음으로 가는 것이 기독교(혹은 가톨릭)나 이슬람교다. 기본적으로 인간은 알 수 없기 때문에 그 알 수 없음에 대한 접근법은 '믿음'이 옳겠다. 믿음은 이성에 근거한 것이 아니다. 그냥 믿는 것이다. 묻지도 따지지도 말고 그냥 신의 존재를 믿는 것이다. 물론 믿지도 않은 무신론도 있다. 무신론이라고 해도 본인이 무신론이지 신의 입장에서(?)는 의미 없는 무신론이겠지만, 알 수 없음을 가정하고 이렇게 믿음이라는 방식으로 신 혹은 진리에 접근한다고 해도 위험(?)이 있기는 마찬가지이다. 그 믿음은 이성의 마비된 상태에서 어떤 절대적 존재에 대한 무한 믿음이기 때문에 인간을 지적장애의 수준으로 만들 가능성이 있다. 도킨스Dawkins는 『만들어진 신The God Delusion』에서 한 사람이 지적장애라면 정신병이지만 수많은 사람이 같은 병이라면 종교가 된다고 했다. 그래서 이런 측면에서 이성적(?) 종교가 필요할 수 있다. 그리고 이성적이라면 가장 합당한 것이 철학이다. 따라서 철학은 종교에서도 필요하다.

철학은 건전한 종교를 위한 가이드라인의 역할을 할 수 있으며, 이성을 마비시키는 사이비종교를 구별하는 데 도움이 될 것이다. 철학 또한 종교적 성향을 배제한 이성적 접근만으로는 진리를 찾음에 한계를 느꼈다면 그것 또한 종교의 철학에 대한 순기능이라 할 수 있다.

인문학적 논의를 시작하면서 왜 이런 논의가 필요한가? 그것은 이런 논의가 근본적인 문제에 대한 해답과 접근법이기 때문이다. 따라서 이런 부분을 해결하거나 정리하지 않으면 그 이후에 쌓아올린 업적이나 성과가 모두 사상누각이 되거나 간 길의 길이만큼이나 소모적인 행위가 될 수 있기 때문이다.

그다음 인문학의 중요성을 한번 살펴보자. 진리, 종교, 가치, 규범 이런 문제들에 대한 포괄적 접근이 인문학이다. 사람으로서의 가치와 의미 등을 추구하는 인문사회학은 '가치 있음' '바람직함' 등의 규범적 인 문제에 관심을 둔다. 과학이나 공학, 수리 이공계 학문이 아닌 이상 이와 같은 관점, 논점의 차이에 대한 본질적인 이해와 전제는 반드시 있다. 예를 들어 일반적으로는 살인이 범죄이지만 전쟁 기간에는 대량살인이 공과와 업적으로 귀결되기도 한다. 환경과 조건과 가정에 따라 진리 혹은 선의 혹은 정의는 상대적이다. 물론 살인 자체가 선은 아니다. 자기의 생존을 지켜내기 위해서 정당방위가 인정되고 싸우지 않고 승리하는 것이 최고의 승리이지만 인문학적 관점이 없으면 선악의 기준부터가 모호해진다. 선악과 정의 진리 평등 행복 가치…. 이런 것들을 찾아가는 것이 인문학이라면 그리고 그 근저에는 방법론으로 종교와 철학이 있다면 모든 학문과 정책이 철학적 종교적이 되어야 하는 이유가 되는 것이다.

지금은 과학도 절대적이지 않고 상대적으로 변해가고 있다고 한다. 상대성이론, 양자물리학, 이제는 과학과 인문학의 경계도 모호해지는 것 같다.

이제까지 왜 종교와 철학이라는 주제로 '상식의 인문학'을 시작하는 이유를 생각해보았다. 철학은 너무 난해하다, 종교는 이해의 범주가 아니다. 우리가 선택하는 매매일의 일상 속에는 당연히 종교와 철학이 배어있다. 사람 됨, 윤리, 도덕, 가치…. 이런 것들이 온통 철학 과정이다. 그리고 인간은 인간의 한계를 스스로 인식하고 산다.

— 동서양의 만남 —

•진리眞理와 로고스logos•

진리眞理라는 단어를 풀이해보면 '진짜의 리理'라는 의미이다. '리'는 무엇인가? 이유, 이치, 이론, 이해 모두 '이'다. 사리분별, 도리, 생리, 법리, 원리 모두 리이다. 합리성이란 '리'에 합한다는 의미이다. 그리고 이해理解는 리를 푸는 것이다.

도대체 이 리理는 무엇인가. 이이, 이황, 화담 등을 배우면서 많이 들어 본 단어가 있다. 이기일원론, 이기이원론…. 이理와 기氣는 우리 고유의 사상과 언어에 뿌리 깊이 배긴 개념이다. 기는 어떤가? 용기, 혈기, 패기, 사기, 감기, 기가 죽다, 기가 차다….

늘 사용하는 우리말임에도 사실 우리는 그 뜻과 기원을 잘 알지 못하고 사용하곤 한다. 이理란 동양철학, 중국철학에서 진리를 의미한다. 그것은 우주창조의 원리이며 우주운행의 원리이며 절대적 이치이다. '리'를 탐구하고 연구하고 밝히는 것이 성리학性理學이요 주자학이다. 주자학은 송나라의 주희가 완성하였다고 하지만 그 뿌리는 상고시대로 거슬러 올라간다. 우주의 이치를 연구하는 학문! 대단한 시도이다. 그 원리를 연구하다 보니 '우주는 끊임없이 변화하고 생성하고 소멸하더라'는 것이 주역의 이론이다. 주역은 주나라의 역易이며 역은

'바뀐다, 변한다'는 의미이다. 주역이 밝히는 우주생성 소멸 운행의 근본적인 원리는 '모든 것은 변한다'는 것이다. 봄 여름 가을 겨울, 낮과 밤, 시간이 흐르면 모든 것이 변한다. 무상無常의 원리이다. 오직 변하지 않는 것은 변한다는 사실 뿐이다. 그렇다면 변화의 법칙과 내용은 무엇인가. 곧 오행이다. 목화토금수, 거기에 해와 달을 합해서 일주일이 되었다. 나무는 불에 타고, 타고 남은 것은 재가 되어 흙이 되고…. 이것이 변화의 내용이다. 이것은 '쉬운 주자학'이다.

이理는 태극太極이다. 태극은 '최고 높은 것'이라는 의미이다. 극極은 북극, 남극 할 때 사용하는 용어로 꼭짓점을 가리킨다. 꼭짓점보다 더 높은 꼭짓점이 태극이다, 대극보다 큰 것이 태극太極이다, 원리의 원리, 최고의 원리 그것이 곧 태극이다. 우리나라의 태극기의 '이'며, 몽고족, 한족 등이 많이 사용하는 부호이다, 태극은 음양으로 표시되고 음양은 상호 교환적이며 보완적이다. 음과 양, 암컷과 수컷, 식물까지도 수정이 되어야 열매를 맺듯 우주는 음양의 조화와 상호교환의 나타남이 현상이다.

즉 이理는 '궁극적인 진리'를 의미한다. 영구불변의 궁극적인 원리, 이것이 '이'며 태극이며 그의 작용방식이 음양과 오행이다. 이것이 성리학의 주요 내용이다. 우주의 운행원리를 인간에게 적용한 것이 사주팔자 등으로 표현되는 역술이다.

그렇다면 서양에서의 철학적 접근법으로서의 만고불변의 원리, 최고의 진리는 무엇인가? 그것은 스토아학파로부터 연유되는 로고스logos다. 로고스는 사물의 존재를 한정하는 보편적인 법칙이다. 로고스는 성리학(유학)에서는 이理이며 노장철학에서는 도道이다. 서양철학은 탈레스Thales에서 시작한다고 일반적으로 말한다. 탈레스가 '만물의 근원은 물이다'고 말한 것은 인간이 드디어 스스로 만물의 근원에 대해 이치에 대해 생각하기 시작하였다는 것을 의미하며, 따라서 그를 최초의 철학자라고 부른다. 물이 최소의 구성단위이며 그것이 원리인지 아닌지가 의미 있는 것이 아니다.

〈그리스의 철학자인 헤라클레이토스는 로고스를 우주 만물을 지배하는 원리로 받아들이고 있다. 그것은 사물의 '설명' '이유' '근거'를 뜻하게 되었으며, 따라서 사물의 정의定義·논증論證을 뜻하기도 한다. 그리스인은 로고스를 이런 뜻으로 추구하여 논증과학epistēmē, scientia과 철학philosophia, sapientia을 탄생시켰다. 로고스는 정의에 의해 파악되는 사물의 '본질존재本質存在(그 '무엇인가')'이다.〉 (『두산백과』 중)

〈스토아학파는 철학을 한마디로 말하면 "물 흐르는 대로 자연의 질서에 따라"였다. 그들은 자연의 질서를 중심에 놓고 세계를 생각하였고, 사람도, 자연도 모두 자연의 질서에 따라 우주 속에서 조화를 이루고 있다고 보았다. 그 질서를 '로고스'라고 하였다. 달이 지구를 정확하게 도는 것도, 별들이 자기 위치를 벗어나지 않는 것도 모두 로고스의 힘이라 보았다.〉 (『재미있는 철학 이야기』 중)

동양에서의 '이'가 서양에서는 '로고스'이다. 제논Zēnōn ho Kyprios은 장사꾼으로 사업에 성공하였으나 배가 침몰하여 재산을 모두 잃고 그야말로 '삶과 사색'을 하던 중 발견하고 추론한 것이 로고스이다. 나중 그는 배가 침몰한 것이 잘된 것이었다고 했다. 일시적 소유인 물질을 잃고 영원불변의 진리를 발견한 것이다.

그리고 성경 요한복음에 "태초에 말씀이 계시니라, 이 말씀이 곧 하나님이니…(요1:1), 말씀이 육신이 되어 우리 가운데 거하시니…(요1:14). 여기서 말씀은 그리스어로 로고스다. 이는 곧 절대불변의 원리, 절대불변의 진리가 곧 하나님이라는 표현이며, 이 하나님이 육신이 되어 오셨다고 기록되어 있다. 요한복음의 기자가 자의적으로 쓴 것일까? 아니면 그야말로 성령의 인도하심을 받아 기록한 것일까?

결과적으로 본 구절에 의하면 서양의 헤브라이즘Hebraism 하나님은 곧 헬레니즘Hellenism의 로고스이며 동양에서의 진리라는 의미이다. 그 진리가 육신으로 오신 분이 예수님이라는 것이다. 물론 매우 간단하고 자의적인 요약이다.

_ 우리 전통과 문화는 아류일 뿐일까? _

•한국인 고유의 사상•

혹자는 대한민국은 고유의 사상이 없다 한다. 역사적으로 과거에는 중국에 의존하였고 백여 년 전부터는 서양에서 수입해서 쓰는 것이 우리 민족의 사상이요, 철학이요, 종교란다. 과연 그럴까?

펄 벅Pearl Buck이 한국을 방문하였을 당시 농민이 소달구지에 타고 가는 것이 아니라 달구지의 짐을 나눠서 지고 가는 것을 보고는 참으로 놀랐단다. 가축까지도 사랑하는 민족.

불교는 인도, 기독교는 이스라엘, 유교는 중화민국, 지금 우리 한국에서 꽃을 피운 여러 가지 종교와 사상은 모두 외국이 원산지다. 메이드 인 코리아 상표는 없을까? 삼국유사에 나오는 단군설화, 환인 환웅 웅녀 단군을 기리는 태백산 신단수, 홍익인간의 뜻을 품고 풍백·운사·우사를 데리고 지상에 내려온 환웅, 그리고 인간이 된 곰.

우선 인류의 기원은 어디인가? 히브리대의 젊은 교수 유발 할라리Yuval Noah Harari, 그는 호모사피엔스Homo sapiens를 말한다. 그가 말한 바로는 전 지구적으로 확산하는 경제적 불평등은 생물학적 불평등으로 전이된다. 경제력을 기반으로 불멸의 신체 능력을 획득할 수 있는 계급과 그렇지 않은 계급의 운명은 달라진다. 불멸 비용을 지불할 수 있는 인간들의 유전자만 후손에게 이어진다. 저자가 예측하는 "인류 진화의 다음 단계" 모습이다. 산업혁명이 농민을 노동자로 전환했다면 오늘날 도래할 기술혁명은 인공지능AI에 소외된 "쓸모없는 계급", 즉 백수들을 양산한다. 이들 잉여 인간은 초지능적 네트워크라는 '데이터 교'가 주는 환락에 탐닉할 뿐이다. '호모 데우스Homo Deus'를 한 줄의 서사로 줄이면 '인간이 신이 될 때 역사는 끝날 것'이다. (「스스로, 호모 사피엔스는 멸종한다」, 서울신문 17.5.19)

한국인의 뿌리는 무엇이며 한국인은 어떤 특징을 가지는가? 혹은 한국인의 전통적인 고유의 사상을 굳이 가질 이유는 있는가? 한국인 특유의 사상을 개념화하고 특화하려고 시도한 학자가 있다. 전 연세대학교 철학과 교수 박동환은 '제3의 사유' 논리를 말한다. 한국인의 사유논리는 '생명의 논리'라고 한다. 서양의 논리는 다투는 논리(正體爭議)라면 동양의 논리는 조화를 추구하는 논리(集體不爭)인데 한국의 논리는 이를 둘 다 아우르는 '제3의 논리' 곧 생명의 논리란다.

김상봉은 『나르시스의 꿈: 서양정신을 극복을 위한 연습』에서 서양정신은 나르시시즘에 갇혀있다고 본다. 우리는 서로 주체가 되는 함께 함의 철학을 말한다. 김상봉 시인이 선택한 우리의 지성은 시인으로 한용운, 역사가로서 함석현, 철학자로 박동환이다. 90년 이후 김지하는 동학의 생명 사상에 심취하였다.

상식으로 보는 인문학적 입장에서 한국적인 특징이나 고유성은 무엇일까? 한국인은 유달리 종교성이 강하다. 모든 문화와 사상과 종교가 한국에서 최종적으로 꽃피운다. 기독교와 불교가 그렇다. 반도의 끝에서 끝내 고유성을 지켜온 나라, 중국의 소수민족은 50여 개가 넘는다. 한족, 여진족, 말갈족…, 우리 민족은 중국에 조공을 바치고 예우를 갖추기는 했지만 흡수되지는 않았다. 우리만의 말을 가지고 특히 우리 고유의 언어(한글)를 가진 민족, 숱하게 침략을 당하긴 하였지만 침략한 역사는 그리 많지 않은 민족, 그러나 지금은 동서 냉전의 틈바구니에서 역사는 또 한 번의 질곡을 넘어가는 중이다.

동학사상.

그것은 유럽을 봉건왕조로부터 계몽시킨 '천부인권사상天賦人權思想'보다 한 수 위다, 천부인권사상은 하늘이 인간에게 권리를 주었기 때문에 하늘 아래에서는 왕과 군주와 농민이 모두 꼭 같은 권리를 가진다는 사상이다. 서양의 봉건시대를 무너뜨린 인간 스스로 그들의 권리에 눈뜨게 한 그야말로 계몽사상이다. 그러나 인내천人乃天, 사인여천事人如天의 동학사상은 사람이 곧 하늘이라고 한다. 사람의 인권을 하늘까지 끌어올려 극대화한 사상이다. 하늘과의 관계를 종속적인 관계가 아니라 대등 관계로 보는 시각이 동학사상이다.

한국인 고유의 사상! 홍익사상, 인내천 그 위에 모든 종교를 아우르고 꽃을 피우려 하는 통합적, 통섭적 사고, 그리고 무릇 모든 생명을 존중하고 사랑하는 생명 사상까지, K- Pop과 한류는 뿌리 없이 나타난 열매는 분명 아니리라.

_ 철학은 소모적 학문인가? _

•인문학과 현실주의•

요즘 인문학이 인기이며 인문학을 알아야 교양있고 사람으로서의 가치와 의식을 넓혀가는 사람이 될 듯한 것처럼 보인다. 역사를 알아야 어떻게 사는 것이 사람답게 사는 것이며 역사 속에서 양심 혹은 도리나 정의가 어떻게 무참히 짓밟혔는지를 알아야 현명한 삶을 살아갈 수 있을 것 같다.

그리고 문학을 알아야 사고의 깊이가 깊어지고 사고의 다양성이 증가하며 사유와 논리가 깊어지며, 감성과 감정이 풍부해지는 인간이 될 수 있을 것이리라. 혼돈의 시대 후기 산업사회, 인간의 참가치와 참 길은 어디인가?

그러나 이런 주제로 조선의 유학자들이 500년 동안 해댄 철학적 논쟁은 참으로 소모적으로 보인다. 기氣, 이理, 확인되지도 않을, 확인 불가능한 관념론으로 세월을 허비했다. 어떤 관점을 인정받는가 하는 것이 그들의 이익 혹은 생존과도 관련이 되기 때문이기도 하겠지만, 이런 소모적인 논쟁이 과연 어떤 유익을 가져왔을까?

소모적인 논쟁을 하기보다는 수레를 만들어 당장에라도 무거운 짐을 가볍게 옮기는 법을 연구하는 것이 낫지 않았을까. 실학파의 주장이다. 공학의 발달, 과학의 발달은 누적된다. 지난 것에 새로운 것을 덧입혀 전진한다. 그러나 형이상학적 논쟁은 사실 소크라테스, 석가, 예수, 노자가 한 말들이 가장 권위 있다. 그것은 과학처럼 입증하거나 확인되는 것은 아니다. 그래서 과거를 딛고 전진한다는 개념을 적용하기는 어렵다.

한국에서 철학과가 사라진 이유가 철학을 이런 소모적인 논쟁으로 보았기 때문 아닐까? 이런 시각이라면 실학이 의미 있다. 즉 경영학을 해서 조직을 합리적으로 효율적으로 운용하는 법을 배우고, 공학을 해서 인간의 삶을 보다 편리하고 윤택하게 만들어야 한다. 생명공학을 하여 질병을 퇴치하고 생산량을 증가시키는 게 낫다.

그러나 누구나 고요한 시간에 진지하게 자아를 성찰은 피할 수 없는 과정이다. 우리의 삶을 부정하고 관념론에 빠지거나 피안의 언덕에 의지하여 현실에서 도피하는 것이 철학이고 종교는 아니다. 철학이 소외당하는 이유는 그것이 공허하게 보이고 들리기 때문이다. 그렇다고 철학이나 종교를 삭제한 삶은 무엇인가? 인간이 인간인 이유가 생각하는 능력 때문이며 '생각하기'가 곧 철학이며 '인간의 한계를 자각하는 것'이 종교라면 철학이 소외당하고 종교가 순위에서 미뤄지는 것은 전혀 바람직하지 않다.

우리는 에덴에서 쫓겨나 귀양살이를 사는 것이 아니다. 단지 잠시 꿈을 꾸는 것이 아니다. 우리가 사는 세상은 보이고 잡히고 만져지고 느껴진다. 그렇게 삶은 매우 아름답다. 떠오르는 햇살의 창연함, 지는 낙조의 화려함, 한 떨기 장미의 미세한 조화…, 어느 것 하나 경이롭고 놀랍지 않은 것이 어디 있던가? 상대의 눈에 서리는 선한 그리움, 서로가 비비는 체온의 향기, 어느 것 하나 의미 없는 것이 없지 않은가. 불확실한 미래 내세를 위해 현재를 인내하게 하는 종교적 견해는 패배자를 달래기 위한 지배자의 논리일 수도 있다.

세상이라는 것, 우주라는 것이 우연히 만들어졌고, 천체는 우연히 돌고 있는 것이 분명히 아니다. 어떤 힘이 지속적으로 작용하여 달을 지구 주변을 정확히 돌게 하며, 지구는 태양 주변을 돌고 있을까, 그 무거운 천체를 누가 어떤 힘이 돌리고 있단 말인가. 한 치의 오차도 없이, 치밀한 유기적 조합이다. 감히 상상할 수도 없을 만큼 우주는 치밀한 유기적 조합이다. 이런 종교적 시각을 버리고 실사구시의 학문만이 중요하거나 혹은 과학만이 의미 있는 것은 아니다, 그것은 누구나 안다. 그렇지만 종교와 철학은 도외시된다. 가장 필요한 것을 소외시키는 이유는 그것들이 역할을 못 하기 때문이리라. 그러나 소외시킨다고 소외되는 것이 아니며 무시한다고 사라지는 것이 아닌 것이 철학과 종교의 속성이다.

_ 언어는 존재의 집 _

•존재와 언어•

하이데거Martin Heidegger가 말했다. '언어는 존재의 집'이다. '존제Being, 存在, Sein'란 무엇인가? 존재의 개념규정은 참으로 어렵다. 왜냐하면 어떤 개념을 설명하는 도구는 언어인데 '존재'는 '언어라는 범주를 넘어선 그 무엇'이기 때문이다. 따라서 설명을 할 수가 없다. '존재자'는 언어로 표기할 수 있다. 어머니는 아이에게 존재자이다. 그러나 존재는 존재자存在者와는 다른 의미이다. 그런데도 하이데거는 왜 '언어는 존재의 집'이라고 했을까?

우선 '존재'라는 의미를 살펴보자 '존재한다'는 말은 '존재하지 않는다'는 말과 대치될 수 있다. 존재하지 않는다는 것은 한마디로 '없다'의 의미로 이해될 수 있다. 이 정도라면 형이상학이라거나 이해가 어려운 것이 아니다. 그런데 존재라는 의미는 '그냥 있다' 혹은 '없음의 상태로 있다'는 의미로 모든 있는 것의 근거가 된다는 것이다. 즉 없는 것이 아니라 '없음의 상태로 있는 것', 존재자의 바탕이 되는 것, 인간도 '다자인(〈독일어 다자인(Dasein: 거기에da 있다sein)의 역어譯語로 철학 용어다. 다자인은 하이데거Martin Heidegger의 『존재와 시간』(1927)에서 인간을 의미하는 전문용어의 번역이다. 『21세기 정치학대사전, 한국사전연구사』〉)'의 상태로 있다는 것이다.

이렇게 예를 들어보자. 동양화에는 공백이 있다. 그림을 그리지 않는 여백 말이다. 그래서 동양화는 매우 편한 느낌을 준다. 존재(없음의 상태로 있음)를 함께 표현하는 것이다. 서양화처럼 모두 인위적인 것으로 채우지 않고, 인위적이지 않은 것을 그림 속에 넣어서 그림을 그렸기에 동양화는 늘 여백의 편안함, 자연스러움, 여유, 숨 쉬는 공간이 따로 있다.

아마도 '없는 상태로 있다'는 의미는 동양화의 여백쯤으로 생각하면 될듯하다. 즉 동양화의 여백은 없는 것이 아니라 없는 상태로 화폭 내에 있는 것이다. 존재자는 동양화 속의 뱃사공이며 존재는 여백이다. 그리고 이것은 동양화라는 그림 자체가 없는 그런 없음과는 다르다. 없음의 상태로 있는 것, 존재자의 존재 바탕이 되는 것이다.

그런데 가만히 생각해보자. 인간은 특이하지 않은가? 이처럼 존재하면서 존재에 대해 질문을 하고 있다(하이데거의 말이다). 이 특이한 존재를 하이데거는 다자인으로 개념화 한다('개념화'의 의미도 사실 적당한 표현은 아닐 수 있다. 설명의 편의를 위한 것일 뿐, 그것은 개념이라는 의미의 한계성 때문이다). 인간은 자신을 객관화시켜 질문하는 것이다. "나는 누구인가?" 사르트르 식으로는 보면 그냥 존재만 하는 '즉자존재卽子, Being-in-itself'가 아니라 자신의 존재에 대해 질문하고 있는 갈증하는 '대자존재對子, Being-for-itself'인 것이다. 그래서 늘 '왜?'라고 묻는다. 그러나 하이데거에 따르면 이 질문의 답은 없다. 답은 무無다, 결국 질문만 가능하지 답은 없다는 것이 존재와 다자인에 대한 결론이다. 이 이유를 또 살펴보자.

인간은 왠지 모를 불안 속에 살고 그 불안을 극복하기 위해 존재자들과 관계하면서 산다. 사실 그렇다. 친구가 없으면 강아지라도 키워야 한다. 그게 정신건강에 좋다. 그런데 왜? 그래야 하는가? 그것은 인간은 존재의 바탕이 되는 무를 마주하기 싫어하기 때문이란다. 무의식적으로 무를 혹은 존재의 본질을 피한다는 것이다. 무한의 허무와도 같은 무, '왠지 모를 불안'은 분명히 있는 데 그 실체를 알 수 없는, 그 무를 무의식적으로 피하고자 하는 것이다. 동양사상 불교에서도 무無를 주요 주제로 삼는다. 존재론에서의 무와 어떤 연관이든 있으리라.

이런 질문을 해보자(인간은 질문하는 존재라 하지 않는가). 광대한 우주에 아무것도 없는 영원한 무의 상태, 즉 우주도 존재하지 않는 그런 상태, 그것은 있음과 없음으로도 표현하기 어려운 상태다. 이런 상태를 성경은 "태초에 흑암이 있었다(창 1:2)", "태초에 땅이 혼돈하고 공허하며 흑암이 깊음 위에 있고"로 표현하고 있는 듯하다. 사실 '흑암이 깊음 위에 있고'라는 말도 쉬운 말이 아니다. 흑암도 '있는 것' 아닌가. 무의 상태로 있는 것이다. 그렇다면 흑암 자체도 없는 것은 무엇인가? 어쨌든 '있음'이라는 것이 있게 된 그 이전의 단계 말이다. 이런 질문은 답이 불가능하다. 그래서 이런 질문에는 질문만 있지 답은 없다. 신이라고 하는 개념은 인간이 만든 것이다. 그 '어떤 경외감에 대한 막연한 형상화' 그것이 신이다. 이때 경외감은 '막연한 경외감'이다. 이런 경외감이 원시 종교의 근원이 되었고 따라서 종교활동은 인간만이 하며, 그것은 인간만이 이런 질문을 해대고 있다는, 존재하면서도 유일하게 존재 자체를 문제시하고 있다는 하이데거의 말의 의미이리라.

'인간화된 신'이 아닌, 인간의 감정과 의지로 변형(?)된 신이 아닌 그야말로 우주의 있음의 본질에 관한 대 경외감에서 발현된 막연한 절대적 그 무엇에 대한 경외감, 그것으로부터 종교는 탄생하고 그것으로부터 존재에 관한 질문은 시작되는 것이다.

왜? '없음'이 아니고 '있음'인가, 이것은 존재론적인 질문이다. 하이데거의 "존재와 무"는 이렇게 시작되어도 좋을 듯하다. 따라서 존재에 대한 질문은 '없음의 상태로 없는 것'은 배제된다. 있음에서 시작되기 때문에 없는 상태로 있음에서 출발해야 한다. 질문하고 있다는 것은 '질문'이라는 것 자체가 '있음'이기 때문이다. 즉 '이미 있음'에서 출발하기 때문이다. 이미 있어버렸기 때문에 있음에서 출발할 수밖에 없는 것이 존재론적 질문의 시작이다. 그러니 '없음의 없음'은 질문에서부터 태생적으로 이미 출발 선상에서 배제된다. 배제하고 시작하자.

인간이 이렇게 존재에 대해 질문하는 것도 결국 인간에 대해 알고 싶음에서, 자아에 대해 알고 싶음에서 출발한 것 아닌가? 다시 인간으로 되돌아 가보자. 하이데거는 인간을 '다자인現存在'으로 표현한다. 다자인'은 '현존재' '거기 있음'으로 풀이된다. 혹은 '세계-내-존재'로 번역된다. 다자인의 개념을 이해하기 위해 이런 생각을 해보자.

소설가들이 일인칭 소설을 쓰기도 하고 수필가들은 자기 생각을 글로 표현하기도 한다. 독자는 그것을 읽으면서 자기 생각과 동일시한다. 그러한 글들을 읽는 순간에는 독자도 저자의 마음과 생각에 동화되고 저자가 독자로 자기화하지만, 어차피 그 글을 쓰는, 말을 하는 이(소설가)는 타인이다. 그렇지만 글을 읽는 순간에는 대상(작가)이 주관(독자)이 된 것이다. 작가와 독자가 하나가 된 것이다. 이렇게 되면 주·객관의 관념적 분리가 모호하게 된다. 생각이 일치하고 동화될 때는 작가가 주관적으로 인식되고 작가와 독자가 하나가 되었지만, 그래도 작가는 분명히 타인이므로 객관이다. 그러니까 대상이 곧 주체가 되었다가 다시 객체가 된 것이다. 이렇게 주·객관이 혼동된다. 주관이면서 객관인 것이다. '너는 나이면서도 또 너'인 것이다. 이렇게 되면 '나도 아니고 너도 아닌, 양자 사이를 오가는' 인간이란 존재는 개념규정이 어려워진다. 무엇이라고 특정하거나 고정된 틀로 개념화하기 어려워진다.

일반적으로 인간(주체)은 인식이라는 도구를 통해서 대상인 사물(객체)을 느낀다. 그러나 항상 이렇게 주관과 객관이 확연하게 구분되는 것이 아니라 혼동되는 경우가 발생하기 시작한다. 인간은 서로에게는 늘 대상이다. 동일한 인간이면서도 객체로 느끼는 그러면서도 또 동화되는…. 이산가족 만나는 프로그램 「잃어버린 삼십년」을 보면서 밤마다 전 국민이 함께 울었다. 그뿐만 아니라 동물 다큐멘터리 프로그램을 보면서도 운다. 이것은 단순한 감상일 수도 있다.

그런데 이것이 단순한 감정과 감상 때문만일까? 인간의 이런 특성(뭔가 다른 외부의 대상으로 채워야 존재하는)을 사르트르는 비어있는 존재 즉 대자존재對自, pour soi, for itself로 표현하였다. 그래서 인간을 규정하기 위해서는 무엇으로 채우느냐에 따라 카멜레온처럼 변하기도 하고, 대상도 주체도 아닌 상태가 되었다가…. 이렇게 인간은 규정하고 정의할 수 없는 상태가 되어버리기 때문에 대상과 주관이 분리되지 않은 상태, 분리되기 이전의 상태 즉 인식 이전의 상태, 사유 이전의 상태에서의 인간을 규정할 필요가 있고 이를 '인간존재(다자인)'라고 표현하고 있는 듯하다. 예를 들어 무아지경에 빠진 연주자, 자아를 잊고 그림에 몰두한 화가는 분리되기 이전의 상태이다. 작품을 하는 동안에는 시간도 잊고 주·객관도 의식하지도 않고 있는 상태가 된다.

나는 사람 저것은 화폭, 그리고 나는 지금 그림을 그리고 있다, 이렇게 의식하면서 그림을 그리는 화가는 없다. 인식의 주체와 대상이 구분되지 않는 상태, 주·객관이 분리되지 않은 상태로 작업하고 있다, 따라서 그는 지금 '존재하고 있는 것(현존재, 실존)'이다. 이것이 실존이다. 세상에 내 던져진 존재 즉 실존이다.

이런 실존의 상태를 언어의 장벽을 넘어 가장 근접하게 표현하는 것이 시詩라고 하이데거는 말한다. 그런데 일반적 언어는 인식적이고 관념적이라 인식 이전의 상태, 관념(인식과 대상을 분리하는)이전의 상태인 존재 상태를 언어로 표현할 수가 없다. 그래서 이성과 논리를 초월한 사고와 언어가 필요하고 가장 유력한 것이 시라는 것이다. 이때 언어는 존재의 집이 되고 사유하는 철학자와 시를 짓는 시인은 이 거처를 지키는 사람들이 된다.

실존주의, 그건 우선 허무를 먼저 가정해야 한다. 인간존재는 '무엇'이라 규정할 수 없으므로 '실체'를 잡을 수 없다. 실체를 알 수 없는 거대한 그 무엇 앞에 선 인간…. 그건 존재론적 허무이자 또 무한의 가능성이기도 하다.

'알 수 없어요'

한용운

바람도 없는 공중에 수직垂直의 파문을 내이며 고요히 떨어지는 오동잎은 누구의 발자취입니까/ 지리한 장마 끝에 서풍에 몰려가는 검은 구름의 터진 틈으로 언뜻언뜻 보이는 푸른 하늘은 누구의 얼굴입니까/ 근원은 알지도 못할 곳에서 나서 돌뿌리를 울리고 가늘게 흐르는 작은 시내는 구비구비 누구의 노래입니까….

알 수 있는 것은 없다. 거대한 절망 앞에서 있는 인간, 혹은 거대한 미지의 엄위 앞에 선 인간, 그 인간은 시로 표현하고 시로서 음미할 수밖에 없다. 따라서 시(언어)는 존재의 집이고 존재는 언어라는 집에 거주한다. 다만 알지도 못하고 알 수도 없는….

— 잃어버린 나 —

• 통찰Insight과 직관Intuition •

– 자아의 동일성과 영속성 측면에서 – (『누구나 한 번쯤 철학을 생각한다』 적극 참조, 인용)

중세 신의 노예 수준으로 여겨지던 인간에 대한 인식이 일어난 것이 데카르트의 생각하는 인간, 코기토I think, therefore I am, Cogito ergo sum였다. 분명히 '생각하는 나'는 존재하고 최소 단위의 가장 확실한 부정할 수 없는 있음의 근거가 '생각하는 나'가 된 것이다.

이것은 세상의 주체가 신에게서 인간으로 돌아온 획기적인 사실이었던 것이다. 그러나 이 '인간'이라는 것도 확정할 수 없는, 정의할 수 없는 '그 무엇'이라는 것을 또 발견하기 시작한다. 인간이 자아의 실체를 확정하지 못하고 모호함 속에서 길을 잃는 과정을 좀 보자.

그 확실 명증한 '나'라는 존재가 정립되는 것이 흄David Hume의 '경험론적 인간관'부터다. 경험한 것만이 사실이고 실체라는 경험론자에게 잠잘 때 꾼 꿈은 어떤 경험으로 봐야 하는가의 문제부터 시작된다. 그리고 곧 프로이트Sigmund Freud로 가면 '꿈꾸는 나'는 이성적인 나, 깨어 있는 나와 다르다는 것을 확연히 발견한다. 술 취한 나, 최면에 걸린 나는 누구인가. 꿈은 왜 내 마음대로 꿀 수도 없는가? 여기에서 프로이트는 '무의식'이라는 중요한 개념을 발견한다. 무의식은 의식이 없다는 의미가 아니라 '의식적이지 않은 의식'이라는 의미이다. 무의식은 충동적이고 본능적이다. 프로이트는 의식은 무의식의 빙산의 일각 같다고 본다. 무의식은 평상시 모습을 드러내지 않고 꿈과 같은 수단을 빌려 나타난다. 결과적으로 무의식이 있으므로 적어도 '자아가 하나는 분명히 아니다'. 여기서 주체, 의식, 자아를 동일하고 자명하게 보는 이성 중심주의 철학, 자유의지를 강조하는 근대적 인간개념은 부정되기 시작한다. 우리 신체에도 내부 장기들은 불수의근이 대부분이다.

그러나 더 큰 문제가 나타나기 시작하였다. 즉 우리가 사용하는 언어가 이제는 문제가 된 것이다. 즉 무의식을 표현할 언어가 없다는 것을 발견하기 시작한 것이다. 언어는 의식의 언어이며 무의식적이지 않다는 것이다. 가령 예를 들어 묘한 느낌, 예지감, 뭔지 모를 불안, 이런 감정들, 혹은 의식과 인식의 범위를 벗어난 상태에 대해서는 그것을 설명할 언어는 없다는 것을 발견한 것이다.

한국의 언어는 그래도 섬세하게 다양하게 서술하는 단어들이 많다. 예를 들어 '노르스름하다', '노르끼리하다'는 어감과 의미가 다르다. 영어에는 옅은 노랑, 짙은 노랑, 이 정도 수준밖에 없다. 또 '노랗다'와 '누렇다'도 다르다. 감정의 표현양식인 '그리움'을 예를 들어보자. 막연한 그리움, 알 수 없는 그리움, 아련한 그리움, 갈증 나는 그리움…. 모두 다르다. 그런데도 이런 언어도 무의식을 본래 모양대로 서술할 수는 없다. 무의식적 언어를 더는 설명하지 못하는 것은 언어가 의식적이기 때문이므로, 이해(?)를 바랄 뿐이다.

이런 문제로 라캉은 언어를 무의식적 관점으로 보았고, 하이데거는 시적 언어가 가장 무의식적 언어라고 보았으며, 비트겐슈타인은 언어로 말할 수 없는 것은 침묵하라고 했다.

니체는 진리는 고정불변한 것이 아니라 권력자가 자신의 필요에 따라 만들어 내는 것이라 했다. 고려 시대에는 불교가 진리였으며 조선 시대에는 유교가 진리였다. 진리도 변하는데, 진리를 발견하는 인간 자체도 진리를 발견하기에는 합당하지 않은 의식과 무의식이 합성된, 정체성을 밝힐 수 없는 존재인데 그런 인간이 어떻게 진리를 발견할 수 있다는 말인가? 구름이 산을 잡는 것과 같은 것이다.

후설Edmund Husserl의 현상학은 '있는 그대로'에 대한 개념설명이다. 후설은 개인의 의식이 '판단하는 것'을 부정한다. 그래서 판단중지를 제안한다. 의식이 파고들어 올 여지를 애초부터 거부한다. 그리고 의식과 대상을 분리하지 않는다. 있는 현상 그대로, 그것이 현상학이다. 데카르트나 칸트가 전제한 의식과 대상의 분리, 주관과 객관의 분리가 아니다. 열린 의식, 비어있는 의식이 늘 대상과 함께 어울려 하나가 되어버리는 '있는 그대로'이다. 의식과 대상이 혼합된 것이다. "이름을 부르지 않으면 하나의 몸짓에 불과했던 꽃이 내가 그 이름을 불러 주었을 때 드디어 내게로 와서 꽃이 된다"는 상당히 주관적 의식적 표현일 뿐이다.

우리는 모두 이런 능력과 경험이 있다. 듣고자 하는 것만 듣고 보고자 하는 것만 보는 능력을 갖추고 있다. 예를 들어보면 여러 사람이 동시에 말을 하는 경우 우리는 특정인의 말만 가려서 들을 수 있다. 모든 사람의 말이 동일하게 소음이 되어 들리는 것이 아니다. 우리는 특정인의 말, 가령 연인이라든가 가족이라든가 나의 이름을 부르는 말이라든가, 그런 말만 들을 수 있다. 즉, 선택이 가능하다. 말뿐만이 아니다. 텔레비전을 보고 있으면서도 텔레비전에 관심을 둘 수도 있지만, 화면은 그냥 보고 특정인의 말을 들을 수도 있다. 주방에서 일하는 부인의 말을 듣는 중에는 텔레비전의 소리는 귀에 들어오지 않는다. 텔레비전에 열중하다가도 옆에서 이야기하는 사람들이 자신의 이름이 섞인 대화를 하면 그것은 또 들린다. 시청각이 모두 선택적이다. 의식적으로는 물론, 무의식적으로도 선택된다.

인간은 참 특이한 구조를 갖는다. 동물도 이럴까? 인간은 이처럼 대상과 의식이 완전히 객관적으로 분리된 것이 아니라 선택하게 된다. 이렇게 되면 전체를 볼 수 없다. 현상학에서의 의식과 인식은 '있는 그대로' '현상 그대로'이므로 선택을 하지 않아야 한다. 피카소가 그림 최초의 입체파 작품인 아비뇽의 처녀들처럼 단면에 입체를 그리는 식으로 전체를 봐야 한다. 현상학은 실증주의 즉 대상과 주체를 구분하여 대상은 관찰 가능하고 과학적이어야 한다는 실증주의에 대한 도전이었으며 성공적이었다.

베르그송Henri Bergson은 '지성이 인간의 불행한 특성'이라고 하였다. 데카르트, 칸트, 헤겔을 완전히 뒤집는 말이다. 지금까지 철학의 주요 전제였던 이성이나 지성이 아니고 인간의 생명을 올바르게 이해하는 방식은 '본능'이라고 하였다. 이성도 감성도 아니 본능이 이라는 것이다. 여기서 본능이란 단순한 충동이나 욕망을 말하는 것이 아니다. 본능의 최고의 상태는 직관이다. 본능이나 직관은 대상을 분석하지 않고 통째로 파악한다. 그리고 본능은 시간과 관련된다. 모든 생명은 완결된 것이 아니라 항상 생성과정에 있다. 실증주의의 근본적인 오류는 실증의 과정을 시간을 뺀 하나의 단면으로 인식한 것이다. 경험론이나 합리론이나 모두 인식을 분석의 수단으로 삼는 데는 다를 것이 없다. 그러나 분석의 대상을 실체화하면 시간을 고려하지 않은 단면이 되고 그렇게 되면 변화와 운동이 사라진다. 운동하는 대상을 총체적으로 인식할 수 있다면 그 문제는 바로 사라지는데 그 방법이 바로 직관이다. 활동성이 제로인 것은 생물이든 무생물이든 세상에는 없다. 이렇게 계속 사유가 진행되면서 마침내 베르그송은 '사물이 존재하지 않는다'는 결론에 도달한다. 모든 사물은 존재하지 않고 다만 운동(변화)할 뿐이다.

직관과 통찰! 일반적으로 우리는 이런 기억을 갖는다. 학계에서 혹은 실험결과로 발표하는 이론이나 법칙이 평소 이미 느끼고 알고 있는 사실들을 과학적으로 분석하거나 연구의 성과물로서 발표되는 것을 가끔 본다. 이미 '그런 것으로 보이는 것'을 과학적으로 증명해 낸 것일 뿐인데, 그것을 대단한 발견이나 연구 성과물처럼 발표하는 것, 그것이 이론이고 발명인 것처럼 보일 때가 있다. 사람들은 이미 직관으로 알고 있다는 것이다. 그렇다면 직관이라든가 통찰이라든가 하는 비분석적 혹은 비이성적 영역을 어떻게 설명하고 이해할 수 있을까?

예를 들면 사람을 소개받거나 낯선 사람을 보면 통상적으로 그 상대를 잠시 잠깐에 판단한다. 선입견이라고도 하지만 대개의 경우 그 동안의 경험이나 느낌으로 상대를 파악한다. 일일이 분석하지 않는다, 말투, 옷차림, 표정 등으로, 분석하기 전제 먼저 직관으로 느끼는 것이다.

그리고 베르그송의 '동적'이라는 것은 어떤 의미인가? 사실 생각해 보면 영원불변하는 실체라는 것은 없다. 모두 변하기 때문이다. 동양의 주역에서 역易은 바뀔 역, 변할 역이다. 동양의 진리는 모든 것은 변한다는 것이 진리다. 고정적인 실체는 없다. 다만 동양은 변화의 원리를 발견하려고 시도하고 있을 뿐이다.

직관과 통찰, 그것은 역易을 발견하는 것이며, 이성과 지성의 한계를 인식하는 것이며, 빗장을 열고 보면 그 끝자락이 보일락 말락 하는 '그 어떤 것의 상태'일 테다.

_ 왜 강남사람이 되려고 할까? _

•유물론의 실체•

유물론은 '물질이 정신에 우선한다'는 의미로 '매우 틀린 이론'이라고 중고등 시절 지속적으로 교육받았다. 객관식 문제로 출제되었고 이 문제는 매번 반복되어 출제되어 틀린 적이 없다.

그러나 유물론에 대해 다시 생각해보자. '물질이 정신에 우선한다'는 이런 단순한 생각이 철학사에 혹은 인류사에 그토록 막대한 영향을 미쳤을까?

마르크스Karl Marx는 홉스가 말한 물리적인 혹은 기계론적인 물질론이 아닌 사회적 물질론 혹은 경제적인 물질론을 말했다. 그의 물질론은 그래서 변증법적 유물론(변증법적 유물론의 역사에의 적용이 사적 유물론historical materialism, 史的唯物論이다. 마르크스주의의 근거가 되는 역사관으로 유물사관이라고도 한다. 마르크스의 "사람들의 의식이 그들의 존재를 규정하는 것이 아니라, 그 반대로 그들의 사회적 존재가 그들의 의식을 규제한다"는 사상이 바로 그것이다. 『두산백과』 중)이라 한다.

역사의 발전이 신의 섭리나 정치적 능력자의 궤적이 아니라 인간의 존재에 필요 불가결한 물질적 생산이 정치·경제·법률·종교·학문 등의 관념을 발달시킨 기초라는 것이다. 사실 인간의 의식이 인간의 사회적 존재를 결정하는 것이 아니라 그 반대로 인간의 사회적 존재가 인간의 의식을 결정하는 경우가 많다. 배고픈 소크라테스나 배부른 돼지를 비교하기도 하고 노예이면서 철학자였던 에픽테토스Epictetus를 예로 들기도 한다. 그러나 인간사회는 물질이 근본 구성요소이다. 자본주의는 이런 물질의 토대, 자본의 토대 위에 건축된 구조물이다. 즉 인간사회 나아가 자본주의는 기본 소재가 물질이다.

왜 강남사람이 되려고 할까? 왜 값비싼 옷을 입으려고 할까? 혹시 부자가 되고 지위가 높아지면 사람도 변하지 않던가? 지위가 사람을 만들거나 옷이 날개거나 한 경우가 있지 않던가?

누구나 자신이 처한 위치에서 사고방식과 견해를 구성하게 된다. 사장과 노동자가 달력에 빨간 날을 곱는 시각과 견해는 다르다. 언론과 공직자가 사회를 보는 시각은 다르다. 이런 현상은 정치인에서 두드러진다. 여당이 야당이 되면 그 이유와 과정도 생략된 째 일시에 사회를 보는 시각이 달라진다. 판사는 사회정의에 따라 판결하지만, 변호사가 되면 의뢰인의 의도 혹은 수수료가 판단의 근거와 이유가 된다. 환경이, 조건이, 상황이, 여건이 바뀌면 가치관도 입장도 바꿔버리는 것이다. 종업원은 사장이 매일 직원들이나 쥐어짜서 실적을 올리는 것으로 본다. 하지만 막상 회사를 그만두고 조그마한 가계라도 사장이 되어보면 사업의 성패가 목숨과도 연결된다는 것을 느낀다. 사업가 도산되어 자살하는 기업인들이 종종 보도되기도 한다.

지금까지 이성과 정신은 신체보다 늘 철학적으로 우월한 개념이었다. 신체는 감정과 불결한 욕망의 덩어리일 뿐, 철학에서는 다루기 어려운 대상이었다. 그런데 마르크스는 그 관계를 역전시켰다. 이성 중심에서 벗어나 신체와 욕망을 철학의 영역에 끌어들인 포스트 모던의 선구자가 된 셈이다. 그는 이러한 시각으로 인간해방을 꿈꾸었다. 마르크스는 이런 측면에서 인본주의자라 할 수도 있다. 목표가 인간해방이며 인간의 자유 획득이었지 인간 정신을 물질에 예속시키고자 하였거나 차후 실현된 공산 사회주의처럼 노동당의 하부 구성인자로서 창의성을 잃어버린 인간 노예화가 절대적으로 아니었다. (『누구나 한 번쯤 철학을 생각한다』 인용)

마르크스가 옳다, 우리가 사회생활을 하면서 시인이나 수녀나 신부만 붙들고 살아낼 수는 없다. 사회관계는 생산과 소비의 관계로 연결된다. 돈을 벌기 위해 직장을 다니고 어쩔 수 없이 생존의 필수불가결한 물건들을 사기 위해 사장의 지시에 따르고 상사에게 복종한다. 자유의지나 이성이 아니라 생산관계, 물질관계이다. 향응이나 접대 혹은 뇌물에 취약한 인간 심리구조도 이처럼 물질이 기본이기 때문이다.

철학자들도 학회에서 목숨 걸고(?) 논쟁한다. 학술적 성취 때문이 아니라 학문적 자존심 때문이다. 인간의 본질에 대한 이 같은 분석과 시각은 인간을 바로 바라볼 수 있게 만든다. 어떻든 사회관계는 생산과 소비의 관계임은 틀림없다. 이러한 관계는 교환가치를 기본으로 한다. 사회 속에서는 인간 자체가 중요한 것이 아니라 교환할 상품의 가치가 더욱 중요해진다. 사람의 가치도 그 사람의 사회적 지위가 결정한다. 그 사람의 능력과 사회적 가치가 인간관계를 구성한다. 사회의 모든 관계가 이처럼 물질이 기본이다. 마르크스는 이런 사회관계를 유물론이라는 개념으로 설명하고 있을 뿐이다, 이런 유물론적 사상도 인간해방이 목적인 것이다.

— 초인의 꿈 —

•강자만이 사는 세상•

이성이 낸 균열을 분열로 증폭시키는데 결정적인 역할을 한 사람은 니체Friedrich Wilhelm Nietzsche다. 칸트의 도덕이 보편적 법칙이고 벤담의 도덕이 쾌락이라는 결과를 가져왔다면 니체의 도덕은 의지의 소산이며 그중에서도 강자의 의지를 반영한다.

"자기 자신을 대하듯 남을 다해라己所勿欲 勿施於人"라고 가르친 칸트 "자신이 원하지 않는 행위를 남에게 하지 말라"고 한 밀John Stuart Mill은 니체에 의하면 '바보들의 도덕'을 말하고 있다. 때마침 그 시기에 제기된 진화론은 니체에게 좋은 응원군이 되었다. 진화과정은 승자가 패자를 누르고 강자가 약자를 제거하고, 똑똑한 자가 어리석은 자를 지배하는 방향으로 전개되어왔다. (예컨대 공자의 인, 그리스도교의 사랑, 불타의 자비 등이다.) 모두 약자의 변명이다. 오른뺨을 때리면 왼뺨을 내밀라는 것은 실상 강자에 대한 두려움을 도덕으로 위장한 것에 불과하다.

사실 기독교는 인간의 죄의식에서 출발한다. 예수가 아니면 구원은 불가능하다. 누구도 죄에서 해방될 수 없다. 그것을 원죄의식까지 이끌어 간다. 원래 죄는 타고난 것이다. 역으로 보면 예수의 구원관을 교리화하기 위해 누구든 죄에서 자유로울 수 없는 역의 논리를 구축해낸 것으로 보이기도 한다. 예수를 믿지 않는 사람도 양심이라는 것이 있다. 테레사 수녀가 굶주리는 아프리카 아이들을 돌보면서 하나님이 어디 있냐고 반문하면서도 끝없이 사랑을 펼치는 것은 무엇으로 설명한 것인가? 긍휼히 여김과 사랑은 기독교인이 아니라도 사람에게는 본질적으로 내재해 있다.

성경에 "부자가 하늘나라 가기는 낙타가 바늘구멍 들어가기보다 어렵다"는 내용은 강자의 자신감을 불안과 양심의 괴로움으로 바꿔놓으려 한다. 강자를 지나친 자기비하와 희생으로 몰아가도록 만든다. 성서에서 아벨을 죽인 카인은 악의 화신이다. 그리스도교의 가르침은 강자를 제약하는 것을 넘어 모든 사람에게 노예와 같은 예속상태를 강요한다. 종교에 의지해야 하는 인간은 주체성을 상실한 것이다. 이러한 노예의 상태에서 벗어나 주체성과 진정한 자유를 회복하고 자신의 의지대로 살아가는 인간을 니체는 초인Overman이라고 부른다. 영어로 슈퍼맨이다. 나폴레옹과 16세기 마키아벨리가 꿈꾸었던 군주와 같다. 니체가 노년에 이르러 광기에 시달린 이유는 그런 초인의 꿈이 헛되다는 걸 깨달았기 때문이 아닐까? (『누구나 한 번쯤 철학을 생각한다』 인용)

철학 사전에 기술된 니체에 대한 설명이다. "독일의 철학자. 생生 철학의 대표자로 실존주의의 선구자, 또 파시즘의 사상적 선구자로 말해지기도 한다. 본Bonn 대학을 거쳐 스위스의 바젤Basel 대학 교수직을 그만두면서부터 고독한 생활을 하다가 정신이상으로 정신병원에서 생애를 마쳤다.

그는 종래의 합리적 철학, 기독교 윤리 등 모든 종래의 부르주아 자유주의의 이데올로기를 부정하고 철저한 니힐리즘nihilism을 주장하여 생生의 영겁회귀永劫回歸 속에서 모든 생의 무가치를 주장하고, 선악의 피안에 서서 '약자의 도덕'에 대하여 '강자의 도덕'을 가지고 '초인超人'에 의해서 현실의 생을 긍정하고 살아야 함을 주장했다.

"이 사상 속에는 생물진화론의 생존투쟁의 사고가 존재하고 있음과 동시에, 자본주의가 제국주의 단계로 진행해 가는 19세기 말의 사회상태를 반영하여, 노동자 계급의 격렬해져 가는 공세 앞에서 자본주의를 수호하기 위해 종래의 자유주의적 부르주아 이데올로기를 대신하여 파시즘의 이데올로기를 제창하였으며, 사회주의를 '노예도덕'으로 간주하고 지배계급의 독재지배를 '군주도덕'으로 높이 내걸어 '권력에의 의지'를 강조하는 입장에 선 사람이었다" (『철학사전』 인용)

"생철학Philosophy of life, 生哲學이란 계몽철학의 주지주의와 헤겔의 이성주의적 관점을 비판하고 비합리적인 것과 의지를 중시한 사상이다. 생철학자들은 생生이란 고정된 것이 아니라 항상 역동적으로 변화하는 것으로 이해하였다. 그러므로 이들은 직관적이며 비합리적인 방법을 통해 생의 의의나 가치 또는 본질을 찾으려 하였다" (『처음 읽는 서양철학사』 인용)

실존주의 철학자란 인간의 실존에 과감하게 맞선 철학자란 의미다. 니체는 당당하게 과감하게 신에 의지하지 않고 지구에 의미 없이 던져진 존재로서 실존에 당당하게 맞서고자 한 철학자다. 이러한 실존에서 출발함으로써 인간의 발전을 가속화한다. 스스로 주체가 되어야 한다고 주장한다. 자신의 의지도 없이 사회가 이끄는 대로 퇴근 후 텔레비전에나 의존하면서 혹은 매스컴에 매료되어, 자신의 문제는 도외시한 채 정치에 관심을 가지고 혹은 스포츠에 매료되면서…. 모두가 기실은 노예가 되어 가는 것이다. 문화 스포츠 정치 등에 잡혀 자신이 노예가 된 줄도 모르고 산다는 것이다.

군중이나 다수에 휩쓸려 자아를 잃어가는 인간. 그런 자아를 발견하는 순간이 실존을 느끼는 순간이다. 이렇게 실존을 느낀 인간은 주체적이며 과감하며 선악보다는 자신의 번영과 승리와 발전을 위해 살아야 한다. 나약한 약자, 도덕이니 윤리니 구원이니 하는 확인되지 않은 거짓에 붙들려있지 않아야 한다는 것이다. 니체가 보기에 그렇게 보였다는 것이다. 파시즘의 사상적 선구자란 이렇게 강한 자, 강자만이 선이 되고 정의가 되며 이런 측면에서 히틀러도 무솔리니도 모두 바람직한 인간상이라는 것이다. 적자생존의 원리를 가장 잘 이해하고 따르는 사람, 윤리 도덕 양심, 이런 것은 약자들의 자기변명이라고 본 사람.

니체는 젊은 시절부터 다소 정서적으로 문제가 있는 사람이었다.

친구나 타인들과 잘 어울리지 못하고 자존감에 휩싸여 자신은 타인과 다르다고 생각하고 산 것이다. 그래서 자기를 특별하다고 인정해주는 친구들과만 사귀었다. 이런 자존감이 그대로 실현되면 정신이상이 되지 않겠지만 그렇지 못하면 정신이상이 당연히 된다. 타인도 자신과 같이 모두 존엄하고 귀한 존재라는 의식이 교육의 내용이 되어야 한다. 따라서 엘리트 교육은 위험할 수 있다. 이 철학자는 자신이 결혼은 끝내 하지 못한 것에 대해 '철학자에게 결혼은 코미디다'라는 말로 표현하였다. 결혼도 타인과의 융화와 화합이다. 스스로 너무 똑똑하다고 생각하면, 잘 났다고 생각하면 결혼도 불가능하다. 자신이 결혼도 하지 못할 만큼 왜곡된 인격을 가진 것을 미화하여 철학자라는 자존 지역으로 도망한 변명으로도 들린다.

어릴 때는 작은 목사라고 칭송받을 정도의 해박하고 신앙적인 아이가 왜 성장하면서 '자라투스트라는 이렇게 말했다'를 저술하는 반기독교인이 되었을까? 기독교는 자기를 부정하고 그 안에 하나님을 둘 것을 요구한다.

니체는 비판도 하지 못하고 대중 속에서 자아를 잃어가는 인간은 모두 '최후의 인간'으로 보았다. 따라서 초인이 되어야 한다는 그의 논리는 어쩌면 심리학적으로 이루지 못한 자신의 왜곡된 열등의식의 다른 표현으로 보인다.

그는 그리스의 비극을 밝힌 『비극의 탄생』에서 '디오니소스'적인 것과 '아폴론' 적인 것을 구분하여 디오니소스적인 것이 구박받은 것이 문제였다고 설명한다. 포도주의 신인 디오니소스는 격정과 황홀, 자유 등을 나타낸다. 말하자면 감성적인 것이다. 소크라테스 이후 늘 이성만 강조해온 그리스 문화가 문제였다고 분석하고 있다. 냉철한 이성을 잃고 가면에 빠져드는 것은 죄악이라고 본 것이 잘못이라는 것이다.

물론 인간은 이성과 감성을 모두 균형 있게 갖는 것이 옳지만, 고대 희랍의 주장과 같이 이성을 따르는 것이 바람직하다는 것에도 이유가 있을 것이다. 인간이 동물과 구분되는 것은 이성이 감정을 누를 수 있기 때문 아닌가? '짐승만도 못한 인간'이기에 인간인 것이다.

이성에 입각한 이성적 인간이 바람직하다는 공자의 주장이나 논리는 사람을 부정하는 것이 아니라 올바른 사람에 대한 이해였겠다.

— 욕망의 현상학 —

Y 군!

하루하루를 살아냄이 참 무겁지요? 늘 욕망과 욕망이 부딪히는 날들이 하루도 편안한 시간을 만들어 주지 않습니다. 그래서 오늘은 욕망의 뿌리에 대해 좀 생각해볼까 합니다.

야망이라는 것요, 그것은 늙어 기력이 쇠 한데도 사람을 놓아주지 않지요. 왜 사람은 욕망에서 벗어나지 못할까요? 늙어도 욕망만은 일일신우일신 합니다. 그런데 젊은이의 야망이라면 또 모를까 늙은이의 야망은 참 안 어울리는데도 말이지요. 고목 나무에 새싹 나면 그건 기껏해야 관상용밖에 안 되지요. 늙은이의 참여, 고집, 나섬, 욕망…. 그게 그런데요, 정치인, 재벌, 기업가 누구든 모두 그러고 있는 것 같아요. 칼자루를 잡지 못해서 안타까워하고 잡으면 놓지 않으려 하고요. '나이 듦'이란 가만히 있어도 알 수 없을 만큼의 깊이가 느껴지는 것, 세상 곡절 다 이긴 것 같은 든든함, 뭐 그런 것이어야 한다고 생각되는데도 말이지요.

마음공부 좀 했다는 분들이 '버려라, 버려라.' 하지요. 하지만 '버리라'고 하는 말은 그게 벌써 욕망을 담고 있잖아요. 남을 나의 의견에 동조시키고 나는 이미 버렸다고 자랑하고, 나아가 타인을 교육하려는 태도요. 그래서 늘 말은 말장난으로 끝나지요.

어찌해야 할까요? 후설Edmund Husserl이란 분이 있대요. 그 사람의 사유체계를 훗날 사람들이 '현상학'이라 했는데요. 아마도 그것의 의미는 '있는 그대로' 같아요. '판단중지'란 말을 쓰는데 인위적이지 말자는 것이지요. 있는 그대로, 현 상태 그대로, 의식하는 주체가 대상을 의식할 때 '있는 그대로', 관여는 하지만 '있는 그대로', 그래야 사물이 제대로 보인대요. 나의 기준, 나의 잣대로 판단하는 것을 중지하면, 의식하데 판단하지 않으면 '있는 그대로'가 보인답니다.

사실 마음의 거울에 때가 끼면 사물이 비치지 않겠지요. 물이 맑지 않으면 속이 들여다보이지 않겠지요. 거울처럼 맑아야 그 거울에 대상이 비치지요.

인간은 원래 거울 같습니다. 늘 무엇이든 대상이 있어야 존재하거든요. 거울의 역할은 대상을 반사하는 것이잖아요. 사람이 그래요. 텔레비전이든 라디오든 아니면 지난 기억이든 뭐든 늘 머릿속을 채우고 시야를 채워야지요. 아무것도 채우지 않으면서 자는 것도 아닌, 무심의 상태는 일반 사람으로서는 거의 불가능하거든요.

그런데 이런 식의 빈 그릇 같고 거울 같은 것이 인간이라는 게 참 오묘하지요. 그건 비워야 채울 수 있고, 맑아야 사물이 그대로 비치거든요. 그러면서도 자신은 비어있으니 늘 공허할 수밖에요.

그런데 현대 서양 철학자들은 인간은 원래 욕망의 덩어리라고 본 것 같아요. 동양 혹은 근대이전의 서양철학이 사람다움의 특권으로 의무로 내건 이성, 논리, 이런 현판은 떼어버리고 사람의 본질을 감정, 욕구, 욕망…. 이렇게 본 것 같아요.

인간은 욕망이 자연스럽대요. 인간은 아폴론Apollono적 이성과 디오니소스Dionysus적 감성이 있긴 하지만 본질적으로 "인간은 욕망하는 존재다"래요. 니체, 하이데거…. 이런 분들이 입버릇처럼 떠든 얘기요. 그러니까 원래 인간의 본질은 욕망을 비우기 어렵다는 것이죠. 입맛의 감각을 타고나듯이 원래 인간에 내재한 그런 것요. 원래 동양은 관념적이고 규범적이고 이론적이고, 서양은 사실적이고 경험적이고 실증적이고 현실적이고 그런 경향이 있잖아요.

그러면 우리는 어쩌라는 얘기일까요? 이성의 차가움으로 욕망을 잠재우고 비워야 할까요? 아니면 타고난 욕망을 채우면서 살아야 할까요? 그런데 동물도 아니고 사람인데 욕망을 무조건 따라가는 건 사람답지 못하다 뭐 그게 교양 교육이고 동양의 인仁이니 도道니 사랑이니 하는 것 아니겠어요? 그런데 왜 현대서양은 욕망 얘기를 했을까요. 그건 아마도 인간 자체를 본 것이겠지요. 삶에서 떠난 박제된 인간이 아니란 얘길 하고 싶었겠지요. 구름 먹고 산 중턱에서 사는 것보다는 세상 속에서 울고 웃고 살고 싶기 때문이겠지요. 모두가 신부, 수녀, 스님 하면 세상은 끝나잖아요. 창조의 목적에 합하고자 함이겠지요. 인간의 본성에 충실해 보자는 것이며 그것이 오히려 인간적인 것이고 참이라고 보이기 때문이겠지요.

무슨 얘기냐고요? 욕망! 그게 그리 하찮은 것이 아니라는 얘기지요. 욕망이 삶의 본질 맞잖아요. 금력, 권력 그것이 주는 향유권이 나쁘다고 말하면 그건 어쩌면 자기를 속이는 것요. 정치인이 돈 많은 것이 뭐가 잘못일까요? 권력도 가지고 금력도 갖고, 그게 자본주의가 추구하는 가치잖아요. 그게 욕망이 실현된 것이고 그것 때문에 우리가 열심히 사는 것 맞잖아요. 괜히 스스로 속일 필요 없다고 봅니다. 사람은 원래 빈 그릇이어서 채워야 하는 것 맞는 것 같아요. 홉스나 니체나 마르크스나 모두 맞지요. 그들이 철학사에 남은 것은 정확히 인간을 봤기 때문이며 외면하지 않았기 때문 아닌가요?

그렇다고 말이죠, 욕망을 무한대로 인정하면 그게 과욕이며 무절제며 방종이며…. 때문에 말입니다. 이런 인간 이해를 바탕으로 사회를 계약관계로 본 루소도 맞아요.

그렇다면 감정 혹은 욕망을 이성의 힘으로 적절히 조정하며 사는 것, 그게 인간다움이며 교양이다. 이렇게 결론 맺어보지요. 참 쉽고도 당연한 얘기 어렵게도 했나요, 그러나 과정에 대한 문제풀이 식 접근도 의미 있지 않을까요? 그런데 말이죠. 조금 더 나가 볼까요? 이 정도면 중·고등학교 도덕책이니까요.

그런데요. 가만히 생각해보면 비우고 채우고 뭐가 다를까요? 이성이다 감정이다 뭐가 다를까요? 원래의 기능과 역할은 달라진 게 없잖아요. 사람이란 아무리 비우래도 채워야만 존재하는 운명이고, 아무리 채워도 스스로는 빈 것이 숙명이라면요. 그러면 세속이든 탈세속이든 무슨 상관있을까요. 원효보다 높은 경지가 없다잖아요. 화광동진, 화쟁, 무애사상…. 요석공주와 결혼도 하고 설총도 낳고 그렇지만 그것에도 얽매이지도 않는 것요. 채우면 비우고자 하고, 비우면 채우고자 하고, 떠나면 돌아오고 싶고 돌아오면 또 떠나고 싶은 것처럼요. 비우고자 하는 것은 지금 채워있다는 얘기요, 채우고자 한다는 것은 지금 비어있다는 의미겠지요.

얽히되 얽히지 않고 잡히되 잡히지 않는 것요. 이것도 저것도, 놓지도 들지도 않은, 버리지도 갖지도 않은 것요. 사랑하지만 집착하지 않을 수 있다면요. 그냥 '있는 그대로'요. 그게 '심재좌망'이고 '현상학'이고 '타타타Tatata, 眞如'가 아닐까요? 혼자 관념적으로 너무 멀리 간 것 같습니다.

하이데거의 '다자인Da-sein' 개념은 사람은 인식의 주체이자 또 대상이란 말이지요. 누가 객체가 된다는 의미는 곧 '네가 나이고 내가 네가 되는 거지요'.

여하튼 너무 작은 일에 일희일비하고, 늙은이 맞는데도 욕망을 끝없이 추구하고, 그건 보기가 좋진 않은 것 같아요. 그건 자아를 분리한 것이고, 그렇게 되면 영원히 빈 그릇으로 남는 것 아니겠어요. 끝까지 채우려고만 하는요, 타인이 욕망의 대상이 아니라는 건 분명하지요. 이용하고, 사용하고 그렇게 나의 욕망을 채우는 도구쯤으로 본다면 그건 분명히 '다자인'을 모른다는 얘기겠지요. 자신도 동일한 대상이라는 것요. 사장과 종업원, 남편과 아내, 남자 친구와 여자 친구, 친구와 친구, 정치인과 국민…. 누구든지 간에요. 해서 사랑하진 못할망정 미워하거나 이용하거나 사용하지는 않는 것이 최소한의 철학 같아요. 최소한의 윤리 도덕 이전에 최소한의 철학요.

욕망! 그것은 버려서도, 그리고 그것에 빠져서도 안 되는 뫼비우스의 띠인가요? 가질 때 갖고 버릴 때 버려야 하는 들숨과 날숨 같은 것인가요? 거룩한 야망, 비열한 욕망, 그것은 늘 풀어야 할 숙제일 테지요.

_ 수상한 철학관 _

•누구나의 삶의 무게•

과학자, 미술사, 상담사 셋이서 창신동에 '수상한 철학관'을 열었다.

고민 상담을 온 서민들의 애환이 각양각색이다. 은퇴한 삼식이 남편 때문에, 고2 학부모의 불안, 봉제 공장에서 온종일 일해야만 하는 가정을 책임진 아주머니, 출산과 육아 때문에 자신의 커리어를 잃어감이 안타까운 아이 엄마. 모두 서민들의 애환, 우리 이웃의 애환, 나의 삶이다.

마지막 상담사인 아주머니의 사연이 눈물겹다. 남편이 교통사고로 자신이 가정경제를 책임져야 하는 상황, 집안일, 가정유지, 교육, 그래도 '행복하다'고 말하는 그녀의 모습에서 상담전문가는 감춘 슬픔을 찾아낸다. 그녀가 되돌아가는 밤길에 아들이 우산 쓰고 마중을 나왔다. 둘이 어깨동무하고 귀가하는 길. 그 아들에게 "엄마도 오늘 힘들었다"고 하소연하는 엄마의 밝은 목소리에 진한 여운이 남는다.

애들 교육의 문제에 빠진 엄마들에게는 아이들이 '좋아하는 것'보다는 '잘하는 것'을 찾아주는 것이, 좋아하는 것은 취미로 잘하는 것은 직업으로, 그리해야 아이의 삶이 행복할 수 있으며 엄마도 아이들만을 바라보지 말고 스스로 꿈을 찾아야 얘들이 배운다는 상담, 육아 때문에 자신의 직업을 잃은 아이 엄마, 아이를 키우는 것도 대단히 중요한 소명이자 직업임은 틀림없다. 그러나 자신도 틈틈이 미래를 준비하는 것도 좋을 듯하다. 회화를 배우든, 글을 쓰든. 삼식이로 은퇴한 남편 부인의 고민은 그 삼식 씨가 어떻게든 낮에는 바깥사람이 되어야 할 것 같다. 등산 다니든 버스 여행을 하든 친구를 사귀든, 아주 사소한 직업이라도 찾아보든.

청소년 시절은 좋은 대학진학을 위해 미래를 꿈꾸며 산다. 군인은 제대만을 기다린다. 대학은 직장을 잡기 위해서 그리고 결혼하면 승진과 내 집 마련, 은퇴하면 '삼식이'로 푸대접받으며, 그리고 황혼…. 무난하게 살아내는 가장의 '인생역정표'다. 이 정도면 매우 성공적인 삶이다. 늘 미래를 위해 살고 의무감으로 산다.

가을 하늘이 높다. 처서 지나서 백로, 흰 이슬이 내리는 절기이다. 한로, 상강, 바야흐로 가을의 시작이다. 아침 길에 추위가 버거운 매미 한 마리가 길에서 바둥거리고 있었다. 7년을 땅속에서 기다렸다는데….

아침 등굣길 교정 앞 분주한 아이들을 보면서 저 아이들도 미래에 저당 잡힌 오늘을 사는 것이 아닌가 싶다. 그 공부의 끝에는 무엇이 있나? 산업을 발전시키고 의학과 법학이 인간 세상을 더 발전시키기는 한다. 그러나 자연에 펼쳐지는 생명의 신비함과 불어오는 바람 속에 묻어 있는 가을의 향수와 수수하고 세심한 망초꽃 군락과 가을이 부끄러워 얼굴 붉힌 코스모스…. 교정 위에 펼쳐진 한 조각 하늘로 가을을 느끼기엔 그리곤 그 여린 감수성의 계절을 흘려보내야 하기에는 안타까운 계절이다.

어둑해진 비 오는 거리, 살림의 무게가 무거운 어머니를 마중 나온 중학생 아들, 그 아이의 기억이 길이 남을 시간. 보릿고개 시절을 아픔으로 기억하기보다는 추억으로 기억하는 어른들이 대부분이다.

삶이 무거워도 그 무게를 가벼이 할 수 있는 위로가 없다면, 가벼움도 그 가벼움을 나눌 이웃이 없다면 가벼움도 무거움일 수밖에 없겠다. '산다는 것'은 무거움과 가벼움이 문제가 아니라 '함께'와 '홀로', 무의식적인 '매몰'과 의식적인 '관조'의 문제일 수도 있겠다.

_ 포스트모더니즘 _

•구조와 해체•

중·고등학교 시절 물질의 최소 구성단위에 대해 전자, 원자, 원자핵…. 이런 내용을 수학하였다. 그리고 빛이 물질인지 파동인지를 배웠다. 그런데 지금 밝혀진 내용은 원자의 구조와 운동에 대해서는 오히려 불가사의하다는 것을 증명해냈을 뿐이다. 보어의 양자물리학은 전자의 이동은 연속적이 운동이 아니라고 결론 내렸고 이를 보어는 양자도약이라고 불렀다. 즉 전가가 궤도에서 갑자기 사라졌다가 다른 곳에서 돌연히 나타난다는 괴이한 형상을 밝혀냈다. 양자도약의 이론은 인과율을 깨뜨린다. 전자가 어느 곳에서 나타날지는 전적으로 우연이며 우리가 불변의 원칙으로 여기던 인과율은 양자역학에서 깨어졌다. 연속적이지도 않고 실재를 확인할 수도 없는 불확실성, 그것은 자연이 설정한 인식의 한계다. 결과적으로 우리가 알 수 있는 것은 없다.

욕망을 가지고 이 시대를 살아가는 우리의 실존을 보자. 근대까지 욕망은 부정적인 것이었고 실존철학에서는 인간은 욕망의 방식으로 존재한다고 하였는데 들뢰즈Gilles Deleuze나 가타리Felix Guattari는 욕망은 니체의 권력의지처럼 무엇인가를 생산하는 긍정적인 힘으로 보았다. 욕망은 의식적인 것이 아니라 무의식적인 힘이다. 지금까지 인류는 이런 욕망을 나름대로 조절하는 방식을 지니고 있었다. 그것이 탈영토화이며 초코드화라고 이들은 말한다. 무슨 이야기인가 하면, 중세나 고대사회에서는 인간은 땅에 귀속되어 있거나 혹은 강력한 군주나 왕의 힘에 귀속되어 있어 그다지 정신적인 혼란이 심하지 않았지만 현대 자본주의 국가는 권력이 어느 곳에도 집중되어 있지 않고 국가도 특별한 형태도 없고 다원적이며 유동적인 사회라 사람은 정신적 분열증 위에 서 있다는 것이다. 때문에 자본주의 사회를 살아가는 현대인은 정신적 분열증을 앓는 것이 당연하다. 그런데 더 큰 문제가 되는 것은 자신이 분열증에 걸린 사실을 모른다는 것이다. 즉 자본주의는 애초에 닫힌 빗장이라는 의미로 해석해도 될 듯싶다. 불안할 수밖에 없다.

지식과 권력에 대한 푸코의 설명을 보자. 진리란 과연 존재하는 것인가? 구조주의의 철학자들, 포스트모더니즘 계열의 철학자들은 진리의 절대성을 인정하지 않는다. 니체는 진리를 묻지 말고 누가 어떤 동기로 진리를 묻는지를 물으라고 했고 푸코는 진리란 그 자체로 존재하는 것이 아니라 담론 때문에 구성된 것이라 했다. 진리를 추구하는 것이 지식이며 지식이 권력과 가장 밀접하게 결합한 것이 사법체계이다. 따라서 법관은 어떻게든 피의자를 처벌할 수 있다. 법 해석의 포괄성과 언어의 한계와 내재적 문제를 이해한다면 그것은 충분히 이해될 수 있는 내용이다. 약사가 약을 갈아서 짓는 것이나 의사가 라틴어로 처방전을 쓰는 것은 지식의 권력화의 예이다. 이렇게 진리는 만들어지는 것이다. 지식은 권력과 야합하는 것이다. 로마교황청의 권력이 기독교의 진리를 만들어 왔다고 볼 수도 있다는 얘기로 들린다.

철학은 관념적이고 형이상학적일 수밖에 없겠다. 한발만 더 나아가 보자.

개체의 존재에 초점을 맞추지 않고 전체와의 관계를 본 것이 구조주의라면 이런 구조주의마저 해체해버리는 시각이 있다. 구조마저 해체해버리려는 시도 그것은 자크 데리다의 말에서 넘겨다 볼 수 있다. 이 세상에 표절이 아닌 것은 없다. 셰익스피어 작품도 표절이고 단테의 신곡도 표절이다. 무슨 말이냐 하면 그들은 이미 세상이 만들어 놓은 언어를 표절해서 자기 나름의 독창적 상상력을 구성해 낸 것뿐이라는 것이다. 세상 사용하는 언어가 아니라 언어까지 자신이 만들어 냈다면 표절이 아니라고 할 수 있을까? 그렇지 않으면 어차피 표절이라는 것이다. 그것뿐만이 아니다. 읽는 독자는 당연히 각각 달리 해석을 하기 때문에 작가와 독자의 연결성도 이루어지지 않는다. 그리고 사용하는 언어 또한 의식적인 한계를 갖는 것으로 무의식적인 것을 표현할 수 없으므로 결론적으로 알 수도 없고 전달할 수도 없으며 다만 흔적으로만 느끼고 감지할 수 있다는 것이다. 이런 의미로 데리다는 의식과 무의식을 차이differ가 아니고 차연differance, 差延으로 설명하려 한다. 결국 독자와 저자는 건널 수 없는 강에서 서로를 바라볼 뿐이다. 이제는 기존의 모든 관점과 시각까지 해체되어 버렸다.

그러나 차연이라는 설명 역시 언어로 하고 있으니 결과적으로는 데리다 또한 강을 건너지 못한 것이다. 이 지점이라면 불교 스님들의 선문답이나 성경의 "귀 있는 자들은 들으라" 혹은 존재에 가장 근접한 언어는 '시'라는 하이데거의 말이 연결되리라.

— 기독교?! —

•도그마dogma와 진리•

"나는 길이요 진리요 생명이니 나를 통하지 않고는 아버지에게로 올 자가 없느니라"

도그마dogma는 '독단적'이라는 의미로 기독교 교리를 도그마라고 일반적으로 말한다. 유일, 독선, 독단, 타 종교를 인정하지 않는 것이 기독교의 진리관이다. 그래서 기독교에서는 우상숭배가 가장 큰 죄악이다. 다윗의 삶에서 보듯이 인간적인 죄, 윤리 도덕적인 죄는 회개할 수 있어도 우상을 숭배하는 것은 용서되지 않는다. 다윗은 꽤 많은 죄를 지었다. 그러나 결국 하나님은 다윗을 '나에게 합한 자'라 해주었다. 기독교의 하나님은 "나는 질투하는 하나님이라" 우상을 숭배하면 질투한다. 구약에서는 수많은 인간이 우상을 숭배하고 하나님을 배역하였으므로 소멸하였다. 노아의 홍수, 소돔과 고모라…. 구약의 역사는 하나님의 자기 백성에 대한 사랑, 그리고 인간의 범죄와 하나님의 채찍에 관한 기록이라 해도 과언이 아니다.

물론 구약에 기록된 내용과 사건들이 객관적으로 확인되거나 일반적 역사서에 기록된 내용은 아닌 것 같다. 오병이어의 기적, 홍해의 기적, 만나의 기적…. 때문에 기독교를 역사적 사실로 혹은 이성적 시각으로 접근하려고 하면 처음부터 벽에 부딪힌다. 믿음은 묻지 않고 따지지 않고 믿는 것이다. 요즈음은 과학적으로 접근하는 기독교도 있기는 하다.

서양의 역사는 기독교의 역사이며 기독교는 현재 인류의 보편적인 종교가 되었다. 사실로서의 종교가 아니라 그 사실 여부를 떠나 '믿음'으로서의 종교 '진리'로서의 종교가 되었다. 기독교의 진리를 이해의 눈, 이성의 시각, 역사적 접근으로 가면 처음부터 곤란을 겪는다. 모세의 이야기부터 창세기의 많은 부분이 당시 근동지방의 설화를 닮았다는 것이 도킨스의 지적이다.

그러나 질투하고 분노하고 시기하는 인격적 존재로서의 신이 과연 수긍 가능한가? 기독교의 죄악사는 어떤가. 로마교황청의 묵인하에 스페인의 잉카문명 말살, 청교도들의 아메리카 정복, 총·균·쇠로 설명되는 정복 전쟁, 아프리카인들은 수백만 명이 동물처럼 닭장 같은 짐짝에 실려 노예로 팔리기 위해 아메리카로 운송되었다. 패자의 역사는 기록되지 않는다. 역사는 승자의 입장에서 기록되기 때문에 청교도의 아메리카 신대륙발견은 정복자의 입장에서 기술된 역사다.

조선의 건국은 이성계의 반란이 성공한 경우다. 홍경래의 난은 반란이 실패한 경우다. 선과 정의의 기준은 과연 무엇인가. 인본주의란 인간에 대한 사랑에서부터 시작된다. 휴머니즘은 인간 사랑을 목표로 하는 인류 공동의 선에 대한 공준公準이다. 그러나 과연 그럴까?

유대교에서 하나님의 진리는 오로지 하나님에게 순종이 선이며 정의이다. 그래서 보편적 시각에서는 유대교 역사는 그들만의 역사라고 폄하되기도 한다.

유대인들은 구약의 주인공들이다. 애굽에서 탈출하였고 바벨론 포로에서 해방되었으며 나라를 잃고 이천 년 동안 흩어져 생존하고 있었지만 끝내 다시 나라를 만들어 낸 특이한 민족이다. 그 유대인들이 지금은 기독교를 믿지 않는다, 즉 예수를 하나님으로 인정하지 않는다. 그리고 히틀러에 의해서 그 당시 유대민족의 거의 반인 육백만 명이 인종청소 당했다. 이들에게 선과 정의와 진리는 무엇인가? 인디언에게, 흑인에게 선과 정의 진리는 무엇인가?

보편적 시각에서 기독교의 진리는 휴머니즘이 아닌 것처럼 보인다. 인간 사랑이 아니라 신에 대한 사랑이다. 이런 풍조가 매우 강하여 인간이 소외된 시절이 중세 암흑기였고 그에 대한 반발과 신으로부터의 해방이 르네상스였다. 헬레니즘과 헤브라이즘, 서양철학사는 신본주의와 인본주의의 대립으로 볼 수 있겠다. 그리스에 기원을 둔 스토아 철학은 인간 본위의 철학이었고 로마를 수천 년 지탱해 온 사상이 되었다. 로마는 이런 철학 위에 긴 세월을 유지해 왔다. 지배당하는 백성들이 느끼는 지배하는 자의 인간적 배려, 몽고가 한 때 지구의 반을 지배하고 광풍노도처럼 정복해 간 것도 피지배 민족의 지도자에 대한 인격적으로 대우하는 전략(?)이었다. 인본주의와 신본주의는 아직도 끝나지 않는 대립 아닌 대립이다. 루터가 종교를 개혁된 이

후 신본주의적 태도에서 많은 부분이 인본주의적으로 변경되었다지만, 그 중심사상 중심의 믿음은 변할 수 없겠다.

그러나 물론 이렇게 보는 시각도 기독교에 대한 일방적 이해일 수 있다. 신명기에 나오는 희년禧年, the year of jubilee은 한번도 실현되지는 못하였지만, 획기적으로 공평과 정의를 지향하는 이상적 제도이다. 50년째 되는 해 개인이 갖는 기존의 모든 재산권을 무효로 하고 다시 시작하는 것이 희년 제도이다. 그리고 "네 소산의 네 귀퉁이를 남겨주라"는 농사 추수법은 약 24%를 의무적으로 가난한 이웃에게 나눠주라는 지상명령이다. 지식인 사도 바울의 행적, 토마스아퀴나스의 체험, 열두 제자의 순교, 예수 탄생 600여 년 전 동굴 항아리 속에 보관되었다가 1945년에 이집트 나그함다디에서 발견된 두루마리 사해문서인 이사야서, 거기에는 이미 이사야 선지자가 예수 탄생과 죽음을 예언하고 있다. "저가 찔림은 저 우리의 허물 때문이여 저가 상함은 우리의 죄악 때문이니, 저가 찔림으로 우리가 나음을 얻었고, 저가 상함으로 우리가 구원을 받았느니라"

기독교, 분명히 단면만을 보고 판단해서는 안 되는 종교이다. 우선 우리의 이성이 온전하지 못하다는 전제를 수용한다면 특히 그렇다. 이성적으로 논리적으로 접근해 본 상식의 기독교이다. 믿음이란 '크고 비밀한(렘33:3) 것'이란 것은 물론이다.

_ 모순과 비약 _

•구약과 신약•

성경은 구약을 인정하면 신약이 어긋나고 신약을 인정하면 구약이 어불성설이다.

그건 유대인들 때문이다. 무슨 말인가 하면 구약에서 선택받은 민족인 유대인, 히브리인들이 예수를 믿지 않음으로써 선택받았다는 것이 틀렸다는 얘기다. 선택 얘기는 그들만의 자부심이었으며 신약이 맞으면 결과적으로 그들은 버림받은 민족이다.

그렇다면 신약이나 구약이 틀릴 리는 없고 '선택 운운'이 틀렸을까? 예수를 믿지 않음으로써 유대인들은 선택받은 민족이 아니다. 그렇다면 구약의 하나님은 구약 내내 헛방, 헛물, 괜한 헛고생만 한 셈이다.

구약 야훼, 하나님이 그토록 애정을(?) 가지고 연단한 민족, 선지자를 계속 보내고, 광야에서 40년이나 연단시키고, 불순종 때문에 애굽, 바빌론 노예로 교육하고, 그렇게 관여하던 것이 유대민족 아닌가. 그런데 예수가 곧 삼위일체 하나님인데 유대인들이 그를 믿지 않는 것은 하나님을 믿지 않는 것이다. 결국 그들은 하나님을 버렸다. 왜 하나님은 이런 그들을 지켜만 보실까? 2천 년이 지나도록, 이전 구약 시대처럼 벌로 연단을 시키든, 또 선지자를 보내든 하셔야 한다. 예수 이후에는 선지자를 통한 메시지 전달은 끝내기로 하셔서 그런 것인가? 그것도 매우 이상하지 않은가? 무슨 원칙이 그리 중요하길래 갑자기 관여함을 끊어버리신 건가? 물론 이렇게 질문하는 것은 참으로 인간적인 의문이라는 것을 안다. 크리스천이 보면 유치한 질문일 수 있다. 그런데 왜 그렇게 질문할 수밖에 없을까? 그건 기독교 신앙에 합리적으로 접근하면 당연히 제기되는 '보편적' 의문이기 때문이다.

유대인은 히틀러가 육백만을 몰살시킨 민족이다. 왜 하나님은 관여하지 않으셨을까? 이런 질문에 대답할 수 있어야 요즘 아이들, 젊은이들의 기독교로의 접근성을 높여줄 수 있다. 아무리 사람의 생각이 의미 없다 해도 이런 질문과 의심을 하지 않을 수는 없다. 이렇게 문제 제기하면 중세에는 화형을 당하기도 했다.

여하튼 유대인들이 그토록 기다리든 구원의 구세주가 오셨는데 그 당사자 민족들은 알아보지도 못하고 믿지도 않았다.

유대인, 미국 인구의 2%, 그러나 미국 영향력 20% 장악, 노벨상 싹쓸이, 세계금융시장의 큰손 중 많은 이가 유대인이다. 이렇게 똑똑한(?) 민족이며, 이천 년 동안 흩어져 있다 다시 나라를 세운 민족인데 그들은 예수를 믿지 않는다.

이것이 유대인들의 문제인가? 즉 그들이 틀렸고 그들이 타락했고 그들의 자만으로 인해 은혜로부터 멀어진 것인가? 만일 그렇지 않고 만일 유대인들이 맞는다면 이번엔 예수가 틀린 것인가? 유대인들 신념처럼 그가 오실 메시아가 아니고 그저 선지자 중 한 분인가? 이슬람교가 그렇게 보듯이, 그럼 이제 또 신약이 틀린다. 신약은 오신 하나님에 대한 기록이다. 그래서 신약이 맞으면 구약이 틀린 것 같고 구약이 맞으면 신약이 틀린 것 같다. 구약은 새로 오실 메시아를 통한 구원의 약속이었는데 구원이 오셨는데 그들은 믿지 않으니 구약이 틀린 것이든 유대인들이 틀린 것이든 둘 중 하나이다.

그런데 구약도 신약도 절대 틀릴 리가 없다, 그건 하나님에 대한 기록과 언약인데 틀릴 수가 없다. 유대인이 예수를 믿지 않는 것은, 즉 구세주로 인정하지 않는 것은 그들의 믿음이 부족하거나 무지해서일까? 그런데 그들의 믿음의 부족? 무지? 이건 분명히 아닌 것 같다. 그들처럼 똑똑하고(상대적 일반적) 또 믿음이라면 조상 대대로 그들만한 하나님 앞에서의 믿음이 없다.

유대인들은 예수의 이적과 기적을 직접 경험하고 보고 기록한 민족이다. 그리고 사도 바울이 그렇게 편지로 써 교육하던 민족이다. 베드로의 전도, 열두 제자들의 순교…. 왜 이들이 예수를 믿지 않을까? 물 위를 걷고, 죽은 지 삼 일이나 된 이를 다시 살리고, 그리고 부활하셨는데 믿지 않는다는 것이 말이 안 된다. 그토록 구세주를 기다려 왔지 않는가? 그렇다면 부활은 뭐고 성령은 뭐고 제자들은 왜 하나같이 순교했으며 겁많은 베드로는 왜 기꺼이 또 순교했나? 예수는 선지자인가, 구원자인가? 외경은 왜 채택되지 않았나? 기독교 공인은 정치적 산물인가, 하나님의 역사 하심인가? 십자군 전쟁, 종교전쟁, 세계대전, 수많은 인종학살, 인디언 흑인의 가축취급…. 왜 구약에서 바다(홍해)를 가르고 돌에 글을 새기고 구름 기둥 불기둥으로 인도하던 하나님은 왜 지금은 무관여 하시나? 성경은 나약자를 위한 인내와 복종의 노예교육이었나?

그러면 기도 중 응답은 무엇이고 방언은 무엇이고 해석은 무엇이고 성경의 일관성은 무엇인가? 아포리아, 풀리지 않는 난제다. 신·구약, 유대인과 이방인, 예수 이전과 이후, 앞뒤가 잘 안 맞는다. 모순이다

덮어놓고 믿으면 되지 뭐가 그리 복잡하냐고? 글쎄 그게 문제이다. 그래도 이런 질문에 목사들은 그런다. “그 질문에 답할 수 없습니다. 믿음은 선택입니다. 머리로 믿지 말고 영으로 맘으로 믿으세요. 하나님은 분명히 살아계십니다.” 결국 또 덮어놓고 믿으라는 것이다

구약은 근동지방의 설화, 허구, 유대인들의 노예 시절 희망을 위해 그들이 바라는 얘기로 구성한 그들만의 역사, 역사적 진실도 섞여 있긴 함, 예수의 기록은 사실, 그리고 사도 바울의 경험도 사실, 그러나 그 모든 것들이 우주의 신비 전부를 설명하기에는 3%도 채 못됨. 혼자 내려보는 어쩔 수 없는 결론? 아마도….

리처드 도킨스의 『만들어진 신』 첫 문장은 이렇게 시작한다. “누군

가 망상에 시달리면 정신이상이라 한다. 그러나 다수가 망상에 걸리면 종교라 한다."

암스트롱Armstrong의 '신을 위한 변론'에는 놀랄만한 엄청난 고증자료로 제시되는 "어느 시대에나 무신론은 신 그 자체에 대한 부정이 아니라 특정 신에 대한 부정이었다"는 말로 결론(?)한다. 신은 어떠한 말로도 표현될 수 없으므로 "신 앞에서는 침묵하기를" 진심으로 권하면서.

아이들의 기독교 신앙률이 4%다. 그건 아이들의 탓이 아니다. 혹은 교회의 가정처럼 황금주의 배금주의 시대 탓도 아니다. 교인 없는 종교는 무의미하다. 새로운 길을 찾아야 한다. 종교가 이기심의 확대 차원으로 가면, 큰 사랑 안에서, 진리 안에서, 자아의 상실이 아니라 절대자의 무한 능력 안에서 자아의식의 확대, 욕망의 완성을 향한 끝없는 확대로 가면 그건 비극이다. 목사협의회, 노회, 지회, 총회가 더 난장판인 경우가 많단다. 착각과 세뇌, 그리고 아집과 허구, 이렇게 가면 미래는 없다.

그러나 우주의 무한 창조의 신비와 예수의 몸 바친 사랑은 사실 아니던가.

영화 속의 세상

그것은

세상 속의 세상보다

더욱 세상적이다

영화가

영화인 것은

볼 수 없는 것들을

보지 못한 것들을

보게 하기 때문이다

제5장

영화 인문학

— 영화 이야기 —

영화를 가끔 본다.

그런데 다소 의아하게 생각하는 것은 상영관을 매집하고 있는 영화는 작품성이 낮거나 대중적이거나 감각적인 영화가 많고 심야영화나 조조할인 혹은 브랜드 없는 영화관에 걸리는 영화들이 작품성이 높은 경우가 많다는 것이다.

어느 날 텔레비전 고발 프로그램 같은 데서 그 연유를 알려주고 있었다. 배급사나 제작사가 대형 스크린 업체가 아닌 경우 즉 롯데시네마, CGV, 메가박스 등이 관여되지 않은 영화는 찬밥 신세를 면치 못하거나 상영관을 잡지도 못한단다. 공정거래위 권고 때문에 어쩔 수 없이 상영관을 내어줄 때도 아침 시간이나 늦은 야간시간에 걸리는 경우가 많단다. 하물며 위에 제시된 영화업체들, 혹은 그룹 관련 기업들을 고발하는 영화는 상영관을 잡지도 못한단다. 대형 영화사들이 투자한 영화는 공격적인 광고와 스크린독점으로 투자비용을 초기에 거의 회수하려는 적극적인 전략을 쓴단다.

이제는 관객이 영화를 선택하는 시대가 아니라 선택을 강요받는 시대이다. 즉 공급자가 소비자의 선택권까지 빼앗아 행사하는 것이다. 선택하는 것이 아니라 선택당하고 있다. 물론 이런 현상은 영화산업에 국한된 얘기는 아니다.

그리고 영화가 소재로 삼는 역사적 사건이나 사실을 영화라는 이름으로 왜곡시키거나 제작자의 의도적 강요를 영화 속에 숨기는 경우도 많다. 영화라는 콘텐츠의 위험성이나 파괴성 혹은 막강한 독점적 권력은 영화산업을 위해서도 적극적으로 고려되어야 한다. 관람자의 얕은 감성에 호소하거나, 정의감에 기대어 상업성을 끼워 파는 영화는 영화에 대한 사회적 기대감을 하락시킬 수 있다. 상업성을 위해 폭력적 장면을 통한 관객의 심리적 파괴 본능을 간접적으로 해소하는 전략은 다소 인정한다 하더라도 그 잔인성이 갈수록 강화되고 있어 이것 또한 문제로 보인다. 영화가 상업적인 측면만 우선시하다 보면 영화로서의 예술성이 감소하고 영화를 단순한 자본 생산재로 평가절하할 위험이 증가한다.

물론 영화라는 장르에 당위성이나 사실성을 무리하게 주문하는 것은 아니지만 최소한의 예술성과 진실성은 장기적인 시각에서 영화산업의 발전을 위해서도 필요하다.

좋은 영화들이 있었다.

일상의 삶의 소중함과 즐거움을 강조한 '어바웃 타임', 같은 날을 두 번 보낼 수 있는 주인공을 통해 똑같은 날이라도 '최악의 날'이 '최고의 날'이 될 수 있다는, 그래서 어쩌면 행복은 외부적 사건에 있지 않고 그 삶을 대하는 태도에 있다는 메시지를 영화적 도구를 통해 관객에게 전달하고 있었다.

인간의 잠재력에 대한 가능성을 다시 생각하게 하고 한계에 대한 도전을 통해 천재성이 발견될 수 있다는 메시지를 담은 「위플래쉬」

천재과학자의 천재성이 인류에 미친 영향, 그리고 거기에 대비하여 그의 개인적 삶과 행복의 의미를 다시 생각해보게 하는 다큐멘터리 성격의 「이미지 게임」

젊음에 대한 동경보다는 중년인 자기 세대를 충실하게 살아가는 것이 최고의 만족이라는 메시지를 전달하고 싶은 다소 지루한 듯한 느낌의 「위아영」, 모두 극장에서는 크게 환영을 받지 못한 영화다.

영화가 영화로서 강력한 도구인 것은 시청각이 동시에 이루어진다는 것이다. 영상물들은 이런 장점과 특성을 가진다. 청각만을 필요로 하는 라디오. 시각만 필요한 서적이나 그림, 이런 문화 콘텐츠와는 달리 영화는 시청을 동시에 자극하며, 요즈음은 3D, 4D 영화관을 만들어 시청각을 동시에 만족하게 하려 한다.

그러나 무엇보다도 영화의 매력은 집중된 장소와 시간에 관객을 대형 스크린을 통해 영화가 전달하고자 하는 것들을 각색하거나 확대하거나 편집하여 전달할 수 있는 장점에 있다. 우리 삶의 일상에 섞여 있어 보이지 않는 것들을 특정 부분만을 확대해서 보여줄 수 있는 것, 모든 요소를 배제하고 하나의 주제에만 포커스를 맞춰 부각할 수 있다는 것, 예를 들어 숨소리도 확대하면 긴장감 긴박감이 높아진다.

따라서 영화는 대중성과 다면적 소통 도구와 집중성을 통해 관객에게 세상보다 더 세상적인 것들을 보여줄 수 있는 장점이 있다.

— 인턴 —

•삶의 우선순위•

삶의 우선순위가 뭘까? 행복! 그것을 위해서 가장 중요한 것은 무엇일까? 18개월 만에 직원 225명의 기업을 만든 유치원 엄마의 일과 사랑 그리고 행복 이야기.

분초를 다투며 온 힘으로 만들어 낸 기업까지 급기야 불안정해지는 가정을 다시 회복시키기 위하여 전문경영인에게 위탁해버리려는 주인공의 얘기다. 그의 삶에 끼워 들 듯한 시니어 노년 인턴, 홀로 남은 은퇴 노년의 삶이, 그의 경륜과 살아낸 세월이 가져다준 지혜가 젊은 여사장의 열정적이지만 위험한 삶에 위안과 길잡이가 되어간다.

여사장 그녀의 불안정한 삶은 늘 상황에 맞는 가장 적절한 말과 행동을 보여주는 노년 인턴에게서 쉼터와 안정과 지혜를 얻는다. 부인 대신 가사 남편이 되어버린 왕년의 잘 나가던, 그러나 이제 존재감을 잃어가던 남편의 일탈은, 가장 소중한 것이 무엇인지, 그리고 현재 내가 가진 것들이 얼마나 소중한 것인가를 삶의 지혜로 가르쳐주는, 그리고 자신의 가치를 발견하게 해주는 노년 신사 인턴 때문에. 그리고 그에게도 다시 찾아온 여자 친구로 인하여 영화는 행복한 결말을 맺는다.

나 자신의 가치를 발견하는 일, 아니 인식하는 일, 그리고 누구나 방황할 수 있는 살아가는 일에서 그도 누군가의 행복을, 그의 삶 자체를 존중할 수 있다면, 존중해 줄 수만 있다면 삶은 다시 회복될 수 있음을 영화는 전하고 있었다.

_ 더 하트 오버 더 시(모비딕) _

•탐욕 그리고 가치•

1851 멜빌의 소설 『모비딕Moby Dick』, 「백경白鯨」이란 영화로도 소개되었던 실화를 바탕으로 한 영화. 고래잡이가 거대한 산업이었던 시절, 30m 80톤의 거대한 고래에 난파당한 고래사냥 이야기.

흰머리 고래는 거대한 자연에 도전하는 인간의 왜소함과 허무 내지는 절망을 상징한다. 금수저를 물고 태어난 선주 집안 애송이 선장, 바다가 삶의 이유가 된 베테랑 흙수저 일등항해사와의 갈등, 자본주의 불가피한 한 얼굴인 태생적 신분 구조, 자연 앞에 선 인간의 왜소함과 자연에 도전하는 티끌 같은 인간의 무모함, 모든 구조가 소유를 향한 인간 탐욕을 배경으로 하고 있다.

딱 두 가지로 삶의 패러다임을 구분하라면 '존재'와 '소유'이다. 권력과 자본, 선주와 선원, 선장과 선원 오로지 자본만이 가치가 되어버린 자본 본위 사회에서 소유는 의심 없는 본질적 가치가 되었다. 그러나 인간의 생명과 자연에 대한 공존의식 등의 존재론적 가치구조를 갈등관계에 있던 애송이 선장이 청문회에서 난파선의 진실을 증언함을 통하여, 자연에의 도전이 의미하는 인간 탐욕의 결과가 가져오는 절망을 통하여, 소유론적 가치의 의미에 대한 화두를 던진다. 살아내기 위해서 목숨을 걸어야 하는 삶의 절박함을 통해 가족의 소

중함, 그것만이 고통스러운 삶을 지탱하게 하는 기쁨임도 배경으로 깔고 있다,

겸손한 부자, 탐욕에서 탈출한 자본가, 그건 어쩌면 소유와 존재를 조화시키는 이 시대의 바람직한 제3의 길일지도 모른다. 워런 버핏, 빌 게이츠, 유일한, 이 영화는 누구나의 작은 삶도 이 가치를, 두 개 중 하나도 포기하는 건 자랑할 만한 것도, 삶에 겸손한 것도 아니란 의미를 던져 주고 있었다.

_ 사우스 포 _

•피할 수 없는 삶•

사각 링에서 강한 맷집을 무기로, 강한 펀치를 도구로 상대 선수를 쓰러뜨리는 것만이 할 수 있는 모든 것인 권투선수의 영욕을 다룬 이야기. 이것 또한 어느 정도 실화에 바탕을 두었다는데….

보육원에서 자란 아이, 그곳에서 만난 지혜롭고 사랑스러운 여자친구, 그와 꾸민 가정은 35연승이란 기록이 가져다준 부富로 그의 삶을 호화롭게 한다. 저택에서 딸 하나와 부인과 그리고 계속되는 권투시합…. 그러나 도전자의 시비, 더는 참아낼 수 없는, 부인까지 뺏어가겠다는 야유에 대한 챔피언의 분노는 극구 만류하는 부인의 외침에도 끝내 그 분노를 이겨내지 못해 난투극이 일어나고 부인이 희생되어버린다. 가장 소중한 가치를 잃어버린 복서의 삶은 나락으로 떨어지고 마약으로 그 절망에 대항하던 그의 삶은 딸의 양육권까지 법원의 결정으로 빼앗겨버린다.

그러나 이 영화는 절망에서 끝내지 않기에 영화적 가치를 끌어낸다. 오로지 딸을 되찾기 위해 "아빠가 죽지 왜 엄마를 죽게 했느냐"며 아빠의 뺨을 수없이 때려대는 딸의 카타르시스를 통하여 영화는 하나의 희망을 찾아간다. 단 한 번 실제로 자기를 패배시켰던 복싱 매니저를 찾아가 다시 시작되는 그의 삶, 그를 파괴한 '분노의 자극에 대한 조건반사적 반응'을 극복해가면서, 그리고 회피와 외면은 회복의 기회조차 빼앗아 가버린다는 또 하나의 밑바닥 아이들의 삶을 통하여 영화는 삶의 진실과 맞서게 하고 있었다.

결국 '분노의 실체'를 깨달아가는 과정을 통하여, 본인을 파괴하고 챔피언이 되어있던 상대와의 타이틀매치를 끝내 승리로 이끌어냄으로써 영화는 막을 내린다.

사우스 포! 왼손잡이 복서, 그것은 본능적인 분노의 폭발인 오른손 라이트 포와 대비되는 인내와 수용의 또 다른 의미로도 보인다. 결과적으로 영화적 소재가 관객의 동조를 이끌어내려면 삶의 진실과 맞서지 않으면 어렵고, 어느 정도 사실성이 가미되어 관객 스스로 자신의 삶에 대비시킬 수 있는 질문의 기회를 던져 주어야 하겠다.

— 대호 —

•호랑이 그리고 한민족•

영화는 늘 소유와 존재를 대비시킨다, 아니 대비시켜야 한다. 그것이 삶의 본질이기 때문이며 그렇게 터치해야 관객의 무의식적 공감을 끌어낼 수 있기 때문이리라.

일제 시대 민족의 영산 지리산에서 총포사냥으로 살아가는 생계형 포수 이야기, 영상이 시작되면서부터 흩날리는 눈발은 혹독한 겨울, 아니 혹독한 일제하의 민족의 삶을 표현하고 있었다. 바닥난 쌀 뒤주, 갓 태어난 아이를 위해서는 뭐라도 잡아야 한다. 살아남기 위해서 뭐라도 죽여야 하는 생존의 법칙은 존재적이다. 그러나 영화에는, 아니 인류역사는 늘 탐욕 혹은 과욕 혹은 지배욕으로 묘사되는 소유욕들이 뒤엉켜 왔다.

조선의 마지막 호랑이 대호! 그건 민족 혼을, 일제와 대항하는 민족의 얼을 나타내고 있었다. 일본 군인 총좌의 입을 통해 서술된 "한눈에 들어오지 않는 지리산"이란 표현은, 그리고 마지막 남은 조선의 호랑이 포획에 집착하는 일본 군대의 끈질긴 의지는 모두 한민족의 정기까지 굴종시키고자 하는 일제의 욕망과 끝내 지켜냈던 한민족 혼을 상징하고 있었다. 지리산으로 숨어들었던 독립 저항군 포획대까지

투입해 대호를 잡으려는 일본 지휘관의 집착을 통해서 그리고 끝내 잡히지 않은 대호를 통해 영화는 물리적 힘에는 굴복하였지만 끝내 지켜낸 민족의 자존을 전하고 싶었으리라.

호랑이와 인간과의 교감, 그건 소유가 존재를 침범하지 않을 때 가능하다. 예쁜 색시를 얻기 위해, 돈을 벌기 위해 토벌대에 입단하는 열여섯 살 포수의 아들, 먹고살기 위한 총질이었지만 오발사격으로 부인을 죽여버린 나락 끝에 선 포수의 삶, 그의 마지막 존재 이유였던 아들까지도 또다시 돈과 일본이라는 힘의 무게에 잃어버린 이야기이다. 서로가 서로에게 삶을 절망으로 끌고 간 이유가 되었으나 끝내 친구가 되어버린 호랑이와 함께 지리산 심연의 나락으로 떨어져 가는 마지막 장면은, 그리고 지리산이 되어버리는 모습은 "노병은 죽지 않는다, 다만 사라질 뿐이다"란 말을 여운으로 떠올리게 한다

영상이 끝나고 남겨지는 것은 끝없이 흩날리는 눈발뿐이다.

— 오베라는 남자 —

•그녀의 의미•

따지고 보면 누구나의 삶은 모두 연극 같다. 신분과 지역 시대를 막론하고….

'오베라는 남자'

참, 삶이란 게 어쩌면 서러운 것이면서도 안타깝고 애틋하고, 의외의 행운이 별처럼 아니 낮잠처럼 찾아오다간 또 늦 햇살처럼 사라지기도 하는 것, 가장 황홀한 순간에 가장 극적인 슬픔이 찾아온 오베Rolf Lassgard의 삶도, 그리고 누구나의 삶도 하나의 꿈이고 슬픔이며 순간순간 보석같이 빛나는 추억일 수도 있는 것 아닐까.

최선을 다해 정직과 성실로 세상을 맞서 살아내려는 오베의 의지도, 무뚝뚝하지만 내면의 정은 가득한 아버지를 닮아 본 영화는 저변에 인본적, 사회적 신뢰를 전제로 하는 듯하다. 오베의 따스한 내면과 성실, 그것은 그 드러남이 차 브랜드를 통한, 혹은 주민자치회장 자리를 놓고 벌이는 친구 간의 경쟁도 한갓 하나의 에피소드가 되어 인간적인 삶과 신뢰 위에 쌓이는 '삶 놀이' 정도로 나름의 미학을 담아내는 과정에서 자연스레 전달된다.

권력의 속성, 그리고 탐욕적 세상, 누구나의 맘에 깃드는 물질적 탐욕이 인류역사가 시작된 이래 늘 삶의 소재와 주제였음도 함께 전하고 있는 듯하다. 소설 원작을 영화화하는 과정에서 너무 많은 것을 담으려 했는지 아이들의 재롱, 동물과의 나눔, 이웃 간 나눌 수밖에 없는 피부의 접촉, 작은 권력과 경쟁…. 많은 것들이 전시장 시식코너의 맛보기처럼 어우러진다. 이렇게 전개되어 나가는 과정들이 희망 잃은 삶을 거부하려는 그의 몸부림과 삶에서 탈출하고 싶은 그의 지속적인 의도를 비웃듯 표정 굳은 오베의 삶에 돌출한다.

존재하는 세상의 모는 것들이 삶의 터전이고 피할 수 없는 햇살 같은 것인데도 삶이 가져다준 실망과 좌절과 무게 때문에, 그 햇살 드는 창을 닫으려는 오베의 저항은 늘 실패하고 또 세상을 향한 어쩌면 따스한 미련들을 외면하지도 못한다. 심지어 커밍아웃 되어 소수자로 전락한 젊은이까지….

오로지 막다른 길에서 만난 아침 햇살 미소 같은 그녀가 삶의 이유였고, 그리고 그녀가 가버린 삶은 무의미해진 그에게 세상은 모두 불편함과 불만 일색이었지만, 그리고 끝없이 그녀에게로 달려가고 싶어 하지만 "죽기가 살기보다 더 어려운" 그 눅눅한 정 같은 삶은 끝내 그를 놓아주지 않는다. 지병인 심장병으로 어느 눈 내리던 날 밤 이웃이 그를 발견해 내기까지는.

결국 친자녀처럼 그의 삶에 들어와 버린 이웃 젊은 부부가 이 노인에게 질러대는 "혼자서는 살 수는 없다"란 실망 같은 충고는 도망치지 못하는 우리 삶의 본성에 대한 본질을 담고 있는 듯하다. 부딪히면서 아프고 어떨 땐 상처 주고받고, 그렇지만 이탈해버릴 수는 없는 우리 '살아감' 말이다

본 영화는 베스트셀러가 되었던 원작을 극화하였다. 그런데 왜 이런 '누구나의 삶에 대한 이야기'가 많은 이들의 공감을 얻을까? 그것은 탐욕, 누구나의 마음 밭에 섞여 있는 그것을 외면하지 않고, 그것의 표현양식인 양복 입은 인간으로 대변되는 공무원의 권위, 그리고 이런 우울하고 푸석거리는 삶에 또 하나의 인간 본질일 수밖에 없는 가식 없고 진솔한 우리 이웃들의 삶이 함께 버무려지고 있기 때문이 아닐까?

•그 남자 그 여자•

존엄사 논란을 일으킨 책, 그리고 영상화.

원작이 세인의 관심을 받고, 이어 검정된 시나리오를 바탕으로 영상화되는 패턴이 대세 같다.

가장 화려하던 시절, 한순간에 절망으로 빠져버린 한 남자Samuel Claflin, 그 남자를 사랑하게 되어버린 가볍고 쾌활하고 헌신적인 촌뜨기 여인Emilia Clarke, 두 사람의 사회적 배경은 극적으로 대비된다. 만능 스포츠맨에 유명한 M&A 사업가, 사고로 뇌를 제외한 모든 신경이 끊어져 버리기 전까지는 대저택과 성城을 소유한 중세시대 영주를 상징하는 신분의 그 남자.

그리고 따스한 생일선물까지 준비하는 할아버지를 포함한 가족들의 생계를 책임져야 하는 그녀, 삶을 비관하지도 우울해 하지도 않는다. 한순간도 사라지지 않는 미소와 웃음은 어지간한 삶의 고민쯤은 덮어버리기에 충분하다. 그녀는 생계유지를 위해 거부할 수 없고, 그 남자는 '살아 있음'이 부정될 수 없어, 완전히 다른 길을 가던 두 사람이 운명의 안내로 만난다.

자기를 믿고 보호하고 따라주던 남자 친구의 인내와 양보까지 끝내 뿌리치고 "난 가야 돼"의 여운을 관객들에게 맡기고, 그 남자의 절망에 희망을 한 꼭지라도 걸어보고자 함께 떠난 여행길, "아침에 눈을 뜨는 유일한 이유가 당신" 이란 그 남자의 스쳐 갈 바람 같은 말에 무작정 빠져버린 그녀.

꿈속에서는 늘 사지가 자유롭던 그 남자가 꿈이 깨면서 꿈같은 현실에서 절망해대던 것들과는 대조적으로, 그녀의 어쩌면 자기 의도적 가냘픈 희망은 밤바람 부는 바닷가에서 6개월의 생의 마감 시간을 끝내 수용할 수밖에 없다는 그 남자의 일방적 통보(?)에, 계속 이어오던, 위태하던 상황은 어쩌면 아침에 깬 꿈처럼 현실적 안정을 찾는다.

여름밤 노천 가든에서 고급스러운 파티가 열리면 시선과 관심이 집중되었을 그 남자, 이런 파티에 얼굴에 포장된 표정으로 서빙이나 했을 그녀의 이 불안한 만남은 드디어 그렇게 안정을 찾아간다.

잃어버린 신체 외에는 '모든 것이 다 있는' 듯한 그와, 건강한 신체 외에는 '아무것도 없는' 듯한 그녀의 불안한 심인心因적 동거는 이런 결말로 향할 것을 예비하듯 한다. 극적 불안은 전 여자 친구와 그의 가장 친한 친구와의 결혼식에 그가 참석하는 것에서도 걷잡을 수 없는 방향으로 치닫고 있었다.

신분의 장벽, 회복될 수 없는 육체의 장벽, 이런 불편함을 처음부터 관객의 눈에 들이밀고 시작되는 영화.

그러게, 그래서 삶은 그저 '상식일 뿐, 상식선에서 이루어져야 할 뿐' 인지도 모르겠다. "오르지 못할 나무는 쳐다보지도 말라"는 우리 속담처럼, 작가의 의도 또한 그런 것인지? 관객 또한 이 답답한 현실, 아니 운명에 동조해야만 하는 걸까?

이 영화는 존엄사가 논쟁거리가 아닌 것으로 보인다, 오히려 사회적, 아니면 운명적이고 신분적인 차별화가 가져다주는 '극복될 수 없는 삶의 틀' 같은 것이 주제로 다가오는 듯한, 즉 우리 옛말에 "송충이는 솔잎을 먹어야 한다"는 주제를 풀어 놓고 있는 듯한, 삶 앞에 겸손하거나 자제되지 않으면 이탈되어버리는 우리 삶의 구조가 주제인 듯하다.

아니지, 일상의 삶을 거부하고 새로운 세상, 다른 세상, 창조적 삶을 살아가는 것이 오히려 인간이 자신의 삶에 대한 진정한 자세라는 것을 보여주는, 아니면 두 남녀의 결정에 대한 정오正誤는 관객의 몫이라는 것을 주제로 던지는 것일까? 이런저런 것들이 온통 삶이다. 우리는 모두 배우일 뿐, 그리고 관객일 뿐….

— 터널 —

•허구적 사회가 터널에 갇히다•

무리한 설정이 많긴 하다. 매몰된 지하 170m에서 휴대전화가 터진다거나, 물과 공기가 거의 없는 곳에서 개와 사람이 34일을 생존했다거나, 어떤 형태이든 무너진 흙더미 속에 빛과 공간이 있다는 것 등.

언론과 관료들의 반 휴머니즘적 행태와는 달리 주인공 정수(하정우)의 극한상황에서도 생존의 조건인 물을 심지어 강아지에게도 나눠주는 또 다른 설정을 통하여, 매몰된 터널, 매몰된 사회에서도 발동되는 인간 심리의 양면성을 터치하기도 한다. 이것이 나름 본 영화가 성공하고 있는 요인이기도 한 것 같다. 인간은 누구나 '뫼비우스의 띠'이며 '지킬과 하이드'이다.

'천하보다 귀한 인간목숨'보다는 취재경쟁, 보여주기식 행정 등 자기 본위적 사회의 무의식적 관행을 부각한 것은 좋으나 본질적으로 놓친 것이 있는 것 같다.

이왕지사 이런 재난 영화를 통해 뭔가를 전달하고 싶고, 나아가 현 우리 사회의 구조적 문제를 화두로 끄집어내려면 사회문제, 특히 우리 사회구조의 본질적 문제점을 지적했으면 좋았겠다.

그건 바로 '관피아'로 표현되는 '권력 구조와 사회구조의 동일화' 즉 지금 우리 사회에 만연한, 권력에 의한 구조 고리를 꼬집어야 했지 않았을까. '이권을 통해 연결된 먹이 사슬' 말이다

자본이라는 달콤한 꿀, 그것은 악마의 유혹일 수가 있다. 자본주의라는 것이 자본, 소위 '돈'으로 연결되는 사회다. 돈은 개인 간 욕망을 효율적으로 연결하기 위한 수단으로서 인간이 채택한 수단이자 도구이다. 그래서 인간의 본질적 욕망과 자본은 동일시된다. 즉 자본, 돈은 욕망의 또 다른 이름이다.

그러나 자본주의 사회가 선진화되었다거나 후진화되었다는 것은 이러한 구조를 어떻게 형성해가느냐, 즉 자본의 양면성을 어떻게 잘 관리하고 통제하느냐의 문제일 것이다.

선진사회란 자본이란 이름의 욕망에 매몰되지 않는 사회이리라, '국민소득 몇만 불 국가경쟁력 몇 위, 신용등급 운운'이 선진국의 기준은 아니다. 즉 얼마나 인간이 자본보다 우선시 되고 있느냐의 문제이다. 사회의 구조, 나아가 권력 구조가 돈과 욕망의 먹이 사슬에 동화. 동조되어 있다면 그것은 후진사회이리라. 권력과 자본의 연결고리의 강도에 따라 선. 후진사회가 나누어질 것이란 얘기다. 결과적으로 본 영화는 관객을 카타르시스화하는 수단으로 이런 주제를 강하게 제시하는 것에는 미흡한 것 같다.

터널 공사 발주 과정에서의 담합의 문제, 이런 사실을 알면서도 묵

인하는 발주처 공기관, 공사과정에서, 중간인. 허가 단계에서의 이권과 뇌물의 얽힘, 설계도대로 건설되지 않아도 준공검사를 너끈히 통과할 수 있는 그야말로 '잘(?) 구조화된' 시스템, 권력과 돈에 인간성이 매몰되어버린 사회, 이런 문제들이 강하게 주목받아야 하지 않았을까?

터널이 무너진 것은 이런 허구적 사회구조의 붕괴이며, 그 안에 깔려버린 자동차 외판원은 선량한 소시민이며, 그저 그렇게 자녀의 생일을 챙기는 것에 만족하는 우리 자신이다.

본 영화가 권력 구조, 자본구조의 작동과정에 초점을 맞추었으면 하는 아쉬움이 남는다. 그래도 참 좋은 영화다.

— 허드슨 강의 기적 —

•208초, 35초, 155명•

본 영화의 가치는 사실에 충실하고 인문학적 요소를 주요 주제로 설정하면서 관객 확보만은 목적으로 하지 않았다는 선한 이미지를 관객에게 쥐여준 것에 있는 것으로 보인다. 극한상황에서 인간의 심리적 갈등, 방황, 탈출과정에서의 생존을 위한 경쟁 등의 요소는 거의 생략해 버렸다.

즉 영화가 성공. 즉 상업적으로 성공하기 위해서 객관적 역사적 사건에 감각적 정의감 혹은 인간의 추악한 심리나 왜곡된 사회상에 대한 무책임한 비아냥으로 관객들의 심리적 만족감을 터치하여 상업화해 버리지 않았다는데 오히려 본 영화의 가치가 있는 듯하다.

영화를 보고 난 후기는 어쩌면 그냥 담담한 기록물, 다큐멘터리 하나 본 것 같은 느낌을 받을 뿐이다.

우리 영화들을 보면 사실을 근거로 한 극적 요소를 부각하거나 불합리한 사회에 대한 얄팍한 정의감이나 건넛산 불 보기 식의 무책임한 비아냥으로…. 결과적으로는 '돈' 을 목적으로 하고 만들어진 영화라는 씁쓰레한 여운을 늘 남기곤 했었다.

그래서 이 영화의 매력은 역설적으로 오히려 '영화 같지 않은 영화'라는 것에 있지 않나 싶다.

그저 밋밋하다. 다만 조사위원회의 형식적이고 틀에 박힌 혹은 시뮬레이션 등을 통한 기계적 접근은 기장도 위기의 순간에 혼란스러울 수 있다는 한 인간임을 고려하지 않았다는 것을 알려줌으로써 형식적 사회를 고발하고 있는 듯하다. 회항과 비상착륙과의 선택의 문제에서 갈등해야만 하고 할 수밖에 없는 인간적 요소 말이다. 어느 지점에서 새떼에 부딪혀 양쪽 엔진이 모두 고장 날 것을 미리 알고 비행하는 기장은 없다. 기계적 조사위원회의 박제된 조사결과에 맞서는 셀리 기장의 '인간적 요소'는 이 영화에서 어쩌면 '가장 의미 있는 변수'로 보인다. 즉 208초 중 35초라는 선장의 갈등의 시간을 가미한 것이 유일하게 남는 영화적 요소로 보였다.

24분 만에 전원 구출한 선진국 재난 대비시스템이 세월호에 대처한 우리의 후진국형 시스템과 대비될 수 있겠지만, 그리고 언젠가 세월호 사건이 영화화되겠지만 제발 상업성 때문에 본질이 훼손되는 비애는 없길 바랄 뿐이다. 본 영화를 보면서 내내 느끼는 소감이었다.

또 하나 155라는 숫자가 주는 안도감.

기장이 끝까지 확인한 155. 그것은 구출된 승객의 숫자, 곧 탑승 인원이다. 그 숫자를 확인하는 순간 모든 긴장을 일시에 내려놓는 기장의 표정에 관객이 동조하는 것 또한 본 영화의 의미이자 기획 의도 아닐까?

208초, 35초, 155명, 24분 숫자의 기억만 남는다.

_ 럭키 _

•왜 가족이 필요한가?•

'가족이란 것의 의미를 생각하게 해 준 영화'

루저 재성과 능력자 형욱이 엇갈리는 삶의 길에서 만난다. 그리곤 잠시 뒤바뀐 삶을 실험처럼 살아낸다. 코믹한 설정과 반전을 가져다주는 전개가 지루해질 수 있는 무리한 설정을 간신히 커버하고 있는 느낌을 때로는 갖게 한다.

'정'이란 비록 그것이 남녀 간이든, 가족 간이든, 어떤 의미가 있는지에 대해 큰 주제를 끝까지 관객들에게 던진다. '산다는 건!' 결국 직업이나 능력이나 돈이나 명예가 아닌 상대방에 대한 진솔함과 배려라는, 그리고 그것을 통해 다가오고 나타나는 '사람 냄새'라는 작가의 의도를 끝까지 펼쳐놓고 있다. 그러게, 행복지수라는 것이 소득수준 혹은 경제적 역량에 따르지 않는다는 보편적 말씀은 여기서도 옳다.

뛰어난 지략과 화려한 경력을 가졌지만, 가족이 없는 '능력자'는 지지리 궁상으로 출구 없는 삶의 끝자락에서 그 끈을 놓고 싶어 시도하는 '루저'의 삶에 잠시 들어간다. 그리고 얼핏 맛본 그 친구의 가족애, 늘 지켜봐 주고 응원해주며 하루도 빠지지 않고 기도하는 시골 촌구석 이발사 아버지의 염원이 그 무엇보다 가치 있고 의미 있다는 것을 그 능력자는 깨달음으로써 그의 조각과 같이 차가웠던 삶에 가을 햇살에 익는 대추 같은 아늑함을 맛본다.

부의 끝에 선 자와 그 반대의 길에서 아무것도 남은 희망이 없는 자, 결국 전자가 후자를 가족의 의미와 소중함을 통해 반전하고 설명하는 구조는 킬러가 기실은 따스한 맘의 소지자였다는 반전을 가져온다.

또다시…. '산다는 건' 정을 주고받고 나누는 것, 그 이상에는 그 무엇도 없다.

궁궐 망루에 혼자 사는 왕자가 시장통에서 서민들과 얽히는 이보다 나을 게 뭔가? 영화 광해가 그랬다. 광대의 삶이 왕의 그것보다 행복할지 모른다고, 그건 사실일 게다. 우리가 사는 이 자리, 가족들이 서로 보듬어 안을 수 있는 이 자리, 때론 무료하고 무의미하더라도 가족 간 우애와 배려가 있는 한 그건 돈보다 권력보다, 재벌보다, 고위관료보다 절대, 절대로 못 하지 않다는 것.

할머니가 그린 가족 그림에 다시 기억을 되찾은 형욱을 넣음으로써 영화는 나름 행복한 매듭을 짓고 있었다.

_ 노트북 _

•'사랑 따윈', '사랑만이'•

마지막 스크린 자막이 오늘 때까지 배우나 관객 모두에게 결말이 궁금하도록 만드는 영화.

어느 영화가 그렇듯 질문만 던지고 끝까지 평가 내지는 선택은 관객의 몫으로 남겨두는 영화, 1998년 작, 실화를 바탕으로 한 소설을 극화했다는데.

'상업성'과 '사실성' 두 가지는 늘 영화나 작품이 오가는 양 끝 지점이기도 하다.

혹 이 영화도 어쩌면 진부해 보이는 '사랑이란 달콤함'이 상업적으로 포장된, 결과적으로 사랑이란 주제를 팔아서 돈을 벌고자 하는 '매물'이었을 뿐일까?

봄날의 아련한 아지랑이 사랑을 꿈꾸는 이들에게, 조건이나 자격 같은 사랑의 본질이 아닌 것들은 사랑의 순수성을 훼손하는 속물적인 것일 뿐이라는 극낭만주의적 입장을 확인해주는 영화일까? 낭만을 등에 업고 빼딱이 어멈 속셈을 뒷주머니에 감춘 상업적 영화일까?

본 영화는 사랑의 시작점만 보여주지 과정은 생략되었다. 갈대같이 바람에 흔들리다 결국 선택한 그녀의 '사랑 지상주의'가 이후의 삶에서 어떻게(행복 혹은 불행?) 전개되었는지는 생략되어버렸다. 종점인 치매 걸린 할머니와 그를 방문한 꽤 단란해 보이는 자녀들을 통한 암시 외에는, 본영화도 해석과 상상은 관객의 몫으로 돌려놓고 있다.

산다는 건 봄날의 설렘도, 그 이후에 물들 장밋빛 미래도 아닌 매매일의 현실이었음을, 멀리서 바라볼 사랑과 평생을 같이 할 사랑 혹은 사람과는 구분되어야 한다는 어머니의 간절함만 부모 된 이들의 공감으로 남기고 영화는 끝을 맺는다.

이성 간의 사랑! '현실적'이어야 할까? '시적'이어야 할까? 조건과 환경을 따지는 것은 사랑의 본질과 순수성까지 팔아버리는 저급함일까?

영화라는 것, 소설이라는 것, 그건 작가와 감독이 어떤 시각에서 바라보느냐에 따라 다른 창을 갖게 한다

'사랑의 순수성'은 선택 이후의, 어쩌면 길고도 긴 삶의 여정에서 늘 부딪혀오는 도전들을 견뎌낼 수 있을 때 보전할 수 있다. 이성적 사랑의 감정과 호기심은 고작 길어야 2년 정도라는 것이 일반적 생물학적 결론이다.

그러나 '사람'하나 잘 만나야 행복해지는 것이 삶을 온통 내어주고도 맞바꾸어야 할 불변의 진리이며, 본 영화처럼 석양을 바라보는 호숫가 이층집에서 새들의 날갯짓을 화폭에 옮기는 꿈의 실현이 현실일

수 있다는 것도 꼭 영화적 상상만은 아닐 게다. '사랑 따윈' 혹은 오직 '사랑만이', 그건 늘 과제이다. 끝내고 싶지 않은, 끝나지 않을….

단 등장인물 모두, 남자주인공이 공허를 메우고자 사귄 여자 친구까지도 독점적 사랑 혹은 끈적한 사랑은 절대 하지 않는 성숙함을 보여주고 있는 것만은 신선함으로 다가온다. "주고 싶어도 남은 것이 없어 줄 것이 없다"는 땜질용(?) 여자 친구에게 내뱉는 값싼 멘트와 함께.

육체적 사랑에 대해 스치듯 던지는 남자의 말, "겨우 고작 이것 때문에 그토록 갈증했던가?" 그리고 자신의 선택이 결코! 옳았음을 막노동꾼 옛 연인을 직접 보여주며 흘리는 여주인공 '엄마의 눈물'이 어쩜 가장 진솔하게 다가오고 있는 그런 영화다

사랑은 '꿈'일까 '현실'일까? 이어야 할까? 너무 오래된 주제이기도 하지만 누구에게나 피해갈 수 없는 질문 같기도 하다.

_ 파도가 지나간 자리 _

•그 남자의 삶의 이유•

전쟁에 지쳐 삶의 의미를 잃어버린 귀환 병사, 외딴 섬 등대지기로 자원한다. 그 섬에서 만난 연인에게서 드디어 잃었던 삶을 찾아간다.

기대하지도 않았던 꿈같은 삶은 현실이 된다. 그러나 잇단 아이의 유산 그리고 조각배에 실려 온 아이 하나. 그리고 나타난 그녀의 생모, 여기까지는 시놉시스다.

잃었던 삶을 찾은 그 남자의 앞길에 어느 날 세차게 불어왔던 광풍처럼, 걷잡을 수 없는 광풍이 또 불어온다. 그래야 영화가 되겠지만, 그래야 소설이 되겠지만.

아이를 잃고 괴로워하는 생모의 모습에 죄책감을 벗어버릴 수 없어 자신의 행복을 포기하려는 남자.

죄책감과 행복 사이의 중간쯤에서 줄타기하던 그의 삶은 드디어 폭풍우 치는 바다로 나아간다. 등대지기의 삶이 어떠냐는 40주년 기념행사에서 "바다는 늘 고통이었다"는 소감은 그의 내면의 삶이 어떠했는지를 암시한다. 죄책감도 행복도 놓을 수 없는 그에게 남은 선택은 자신을 포기하는 것뿐, 자기의 삶을 다시 원점으로 돌려 포기하는 것뿐, 살인죄로 끝날 그의 삶에 그녀의 사랑이 다시 덧입혀진다. 그리고 아이를 잃었던 여인의 시인 남편이 남긴 말 한마디, "증오는 영원하지만 한 번의 용서는 모든 것을 덮는다". 그래서 드디어 부부의 형량은 대폭 경감된다.

그러게, 사랑이란 자신을 내어주는 것, 아이가 잘 자라는 것을 보는 것을 위안으로 보면서 나머지 삶을 산 부부, 대부호의 본가에서 자란 아이, 그랬겠다, 어려운 환경보다는 막대한 유산을 물려받을 수 있는 부호의 본가로 되돌아가는 것이 현실적인 순리겠다.

영화는 아름다운 바다의 영상미를 영화 내내 제공하고 1차대선 후 꿈이 사라진 이들에게 희망은 늘 되살아남을 전하고 있었다.

인간의 본성은 행복으로 향하게 되어있는 걸, 한 조각 햇살에도 봄은 올 수 있는 것을. 행복이란 사랑하는 사람을 만나 사랑을 나누는 것이며, 둘만의 고독한 삶에 선물로 찾아오는 아이는 축복의 꽃인 것을, 그것이 온전한 삶인 것을 영화는 여운으로 전하고 있었다.

아이를 갖고자 하는 부모들의 열망이 두드러지게 그려지는 영화, 아이가 가져다주는 행복이 얼마나 아름다운지를 보여주는 영화,

사랑이란 "결혼해 줄래" 물으면 "천 번이라도 '예'라고 답하겠다"는 편지의 답장이며, "같이하는 시간은 끝없는 평화"라는 고백이 진실한 사랑, 그리고 행복의 실체임을 전하고 있다.

특히 그 남자, 여자의 간곡한 청에 못 이겨 아이를 되돌려 보내지 못했지만 그래도 끝까지 남의 아이를 뺏은 양심과 죄책감 또한 이겨내지 못하는 그 남자의, 즉 인간의 본 모습을 통해 삶의 진정성에 다가서고 있다. 모든 죄를 뒤집어쓰고 그동안 "당신은 내 삶의 이유였

다"고 적어 둔 그의 마지막 편지에 아이를 뺏긴 그녀의 증오도 사랑으로 바뀐다.

그러나 사랑이란 사랑스러울 때 사랑하게 되는 것, 사랑스러우면 사랑하지 않을 수 없는 것,

사랑이란 의무감이 아니다. 상대방이 흘린 눈물, 상대방이 넘겨준 빈자리, 상대에게서 전해오는 평화, 환희, 위로, 편안함, 쉬지 않는 미소, '향기로 남는 모든 것들의 총체'이다

이것들이 없으면 사랑은 없다. 사랑은 생겨나는 것이며, 전해오는 것이지 억지로 만들어지는 것이 아니다. 봄 햇살에 퍼지는 미소가 아름다우면, 그 봄날에 불어오는 부드러운 바람이라면 사랑이지 않을 수 없다. 집요하게 파고드는 한겨울의 추위를 사랑이라고 할 순 없다.

사랑은 사랑스러워지면 사랑하는 것이다. 그래서 행복해지는 것이다. 사랑은 자격이다.

— 첫 키스만 50번째 —

•하루짜리 사랑 이야기•

2004년에 개봉된 영화. 로즈와 루시의 하루짜리 사랑 이야기. 하와이 푸른 바다를 배경으로, 어느 연애 꾼이 단기기억 상실증에 걸린 연인과 만들어가는 매일 처음처럼 다시 시작해야 하는 특별한 사랑 이야기.

로즈란 남자, 동물원 수의사가 그의 직업이다. 평소 늘 상대 여자를 바꾸어 연애하는 것이 또 하나의 직업이다. 이런 그의 사랑 방식에 이젠 한 여자를 상대로만 매일 처음부터 다시 써야 하는 '사랑놀이'가 주어진다.

그 여자(루시)의 시간은 흐르지 않는다. 그녀는 교통사고로 기억을 잃은 그 날에 머물러 있어 그녀를 위해 아빠도 오빠도 그들의 삶도 포기하다시피 하고 헌신한다. 가족들의 생계가, 일상이 뒤로 밀려난 이런 다소 비현실적인 구성은 관객들의 동의를 쉽게 끌어내지 못할 수도 있겠다.

나름대로 이 영화가 감동적인 이유가 무엇일까? 첫 데이트의 풋풋함, 설렘? 하와이 아름다운 해변을 배경으로 한 매일 반복되는 첫 미팅? 코믹 전개? 해지는 바닷가의 아름다운 영상미? 첫사랑에 대한 추억?

뜨내기 사랑이 행복일 순 없겠다. 참 행복은 가정을 꾸리는 것, 애를 낳고 일상의 부부로 사는 것. 요트를 타고 알래스카를 항해하는 것, 헌신적이고 따스한 가족애? 가정을 꾸리지 않고 로즈가 떠났다면 '바람둥이의 한때의 슬픈 사랑'의 얘기로 끝났겠다.

매일 사랑 노트를 쓰던 루시가 남자 친구의 행복을 위해 둘의 관계를 정리하려 한다. 노트를 정리하고 그리고 남자는 떠난다. 그러나 못내 되돌린 발길, 그리고 그 여자가 보여주는 개인 화실을 꽉 채운 그의 얼굴, 기억 너머에서 그 여잔 그 남자를 보물처럼 운명처럼 간직하고 있었던 것이다. 각자 상대에 대한 깊은 사랑의 재확인.

사실 영상물에서나 허구에서나 가능한 사랑 얘기일지 모르겠다. 가볍게 보는 영화, 즐겁게 보는 영화. 발상이 재밌다. 기억 노트, 비디오….

사랑이란, 행복이란 무엇일까? 사랑이란 무의식 잠재의식까지 맞닿아 있는 것인가? 그런 것이어야 할까?

_ 택시 운전사 _

•택시를 탄 현대사•

영화의 작품성을 논할 때 사상이나 이념논쟁을 배제하는 것이 바람직할 수도 있다.

즉 영화나 문화적 콘텐츠가 현 체제 보호용이 되거나 반체제선전용이거나, 이런 식의 이념에 갇혀 정작 주요한 목표가 되어야 하는 인간 존엄성이 소외되는 숱한 지난 사례들을 참고한다면 말이다.

이념논쟁을 삭제한 순수한 휴머니즘 혹은 인간 내면에 대한 섬세한 감성과 본성을 소재로 하는 것이 더욱 영화의 순수성과 예술성을 높이는 것일 수도 있으리라.

그러나 우리 삶은 이념대립을 떠나는 것이 현실적으로 불가능하므로 본인이 거부한다고 해서 이념론을 피해갈 수는 없다. 그것은 물과 공기와 같기 때문이다

그리고 그 이념논쟁은 일방적 승리가 없는 늘 얽히고설킴이다. 원래 사회주의 내지는 공산주의는 더욱더 인본주의적 목적에서 출발하였다. 그러나 결과는? 따라서 바람직한 체제는 결국 끝없는 관점의 대립, 혹은 제도 보다는 운영의 문제, 힘 배분의 문제, 구성원 각자의 의식 문제 같은 것 아닐까.

광주학살의 실화를 기초로 제작된 영화, 독일 기자를 도와 광주의 진실을 세계에 전한 택시 운전사 이야기, 그 당시 해당 기자가 직접 찍은 필름을 보여주고 기자의 눈물 섞인 인터뷰까지 첨부함으로써 영화는 사실성을 확인한다. 군부독재의 잔인한 진압과정, 그리고 당시 철저히 통제되었던 국내언론.

물론 80년도의 광주가 꼭 진보나 보수 같은 사상논쟁의 현장만은 아니었다. 군부에 맞서는 시민 정신이었고 무자비한 진압에 대한 저항이었다. 그러나 그 당시 신군부는 광주사태는 간첩들과 일부 급진과격 대학생, 불온 자들이 광주로 모여들어 일으킨 폭도들의 난동이라고 줄기차게 방송을 하고 있었다. 전두환 신군부는 광주를 진압하지 못하고 전국으로 확산하면 10·26, 12·12로 이어지는 국가권력 장악 시나리오가 민낯을 드러나고 결국 심판받을 것을 두려워했을 것이다. 그 이후 체육관 대통령, 통일주체국민회의로 이어지는 그들의 장기집권 시나리오를 저지한 6·29 선언, 그리고 지난 촛불까지…. 우리가 아는 역사다.

민주주의의 발전은 민주라는 단어 자체가 이젠 이념을 전제로 하는 것 같아 순수한 의미로 사용되기도 힘들지만, 민주주의는 전 국민의 관심과 참여로 발전하는 것은 분명하다. 촛불로 대표되는 국민의 염원, 촛불은 주위를 밝히기 위함이며 자신을 태워 세상을 밝히는 것이 초의 기능이다. 그러나 바람만 불면 또 쉽게 꺼져버리는 것이 바람

앞의 촛불이기도 하다. 그러나 그 촛불들이 수십 수만 수백만 모여들면 바람에도 꺼지지 않는다는 것을 우리는 보여주었고 세계가 봤다.

택시 운전사, 영화는 분명 역사를 그대로 소개하는 다큐멘터리가 아니므로 과장하거나 관객에게 감정이입을 은근히 강제하거나 극적 요소를 과하게 가미시킬 수도 있을 거다. 영화가 사실에 기반을 뒀다 하더라도 사실 그 자체는 아니다. 관객이 이 정도는 생각하고 관람해야 할 것 같다. 다만 우려스러운 것은 제작자의 의도가 과도하게 추구되는 콘텐츠는 또 다른 우민화의 도구가 되지 않을까 하는 점이다.

전쟁이라는 것, 혁명이라는 것, 그것은 소수에 이끌린 다수가 서로 부딪칠 때 그 이끌리는 다수가 고스란히 피해를 감수하는 구조이다. 싸워야 할 이유를 이해하지 못하고 참여하는 다수들 말이다. 광주에서 피해를 본 수백의 시민들이 모두 하나같이 무슨 사상, 이념 때문이었을까? 모두가 투철한 역사의식 혁명 의지가 있어서가 아니라 내 이웃, 내 친구, 내 마을이 짓밟히는 상황에서 저항한 인권보전의 기록이기도 하리라.

물론 항거의 숭고한 정신을 헐뜯는 것이 아니라 이런 콘텐츠들이 지난 역사를 과도하게 확대 재생산함으로써 일어날 수 있는 부작용에 관한 우려 때문이다.

우리에게 과거의 역사는 소중하다. 다만 그것은 현재와 미래를 위한 소재로서의 기능과 역할이 가능할 때 적용되는 말이다. 그렇지만 늘 언제나 어느 상황에서나 무슨 이유에서라도 절대로 이용되어서는 안 되는 것이 '인간 존엄'이다.

•코스모스 계절에 민들레를 그리며•

최명길과 김상헌, 현실론과 이상론, 척화론과 주화론 그리고 민들레.

영화는 다큐멘터리가 아니다. 영화의 묘미 중 하나는 다큐멘터리가 아니므로 넣을 수 있는 허구적 여유와 재량이다. 작가의 의도와는 무관하게 또 해석은 관객의 몫이니 그리 부담스러워 할 것도 없겠다. 그리하여 영화는 영화로서 또 하나의 인문학적 장르를 만들어 갈 수 있는 시청각 미디어다.

그림 속에서 바람 소리를 듣고, 음악 속에서 달빛을 보는 것도 그 콘텐츠가 갖는 함의의 매력이겠지만, 영화는 직접 보여주는 직유의 매력을 갖기에 더 대중적 일 수 있고, 시청각으로 동시에 유인하는 몰입적 기능을 통해 다큐멘터리를 재구성할 수 있어 나름 강력한 장점이 있다고 하겠다.

민들레, 노아 홍수에 발이 빠지지 않아서 달아나지 못한 꽃, 그래서 하얗게 머리가 세어버린 꽃, 가을꽃 코스모스가 나르시시즘이라면 봄의 대표 꽃인 민들레의 꽃말은 감사와 행복이다.

"봄이 온 것을, 강물이 녹을 것을 어떻게 아니냐?"고, 그것은 "민들레가 필 때"라는 할아비 잃은 손녀딸의 대사에서 관객은 민초의 희망과 염원, 행복을 동감한다. 도망하지도 못하는 민초, 그들은 그렇게 역사 속에서 봄과 행복을 기다리는 것이다.

김상헌, 그는 안동김씨의 자존심이 되었듯 목숨을 걸고 척화론을 주장하여 절개와 지조를 지켜내고자 한 인물, 청에게 길을 안내하고 손녀 살릴 푼돈이라도 받아야 한다는 강 길을 안내하는 노인을 그냥 둘 수 없어 베었으나 성으로 흘러들어온 그 손녀딸에게는 자신이 굶어가면서도 떡국을 먹이는 인간애.

주화론의 최명길 또한 목숨 따윈 아까워하지 않고 현실론을 펼친 인물, 조선의 사대부들은 기어코 김상헌만을 인조 묘에 봉양했다지만, 광해를 폐위시킨 일등공신이자 또한 권모술수에 능한 모사꾼이라 평가받아도 그도 제 아비가 광해군 시절 고초당한 연유이니 역사는 그리 쉽게 누굴 평가할 일은 아닌 듯하다.

그러나 영화의 해석이 관객의 몫이듯 역사의 해석 또한 각자의 몫이다. 명분에 매여 실리를 놓친, 결국 백성을 도탄에 빠지게 한 그 '명분'이라는 게 왜 존재해야 하며, 그 명분만 부여잡은 조선의 절개 아닌 절개가 이 나라를 어디로 끌고 갔는가? 임란 때 도와준 아버지의 나라 명, "신의를 저버리는 것은 인간이 할 도리가 아니다". 그 결과가 자기 백성의 피폐함과 요절이라면 그 명분은 과연 무엇을 위한 명분인가.

정치는 생태학이다. 약육강식, 명분 지키다 자신의 손녀딸이 오랑캐의 노리갯감이 되었다면, 목숨보다 자손보다 소중한 것이 의리와 절개일까? 목숨을 보전해야 절개와 의리도 가능한 것 아닐까? 이병헌과 김윤석 두 배우의 논리 다툼이 끝까지 이어지는 것은 이 영화의 당연한 과제이며 선택일 수밖에 없다.

결국 화친으로 형제의 의를 다시 맺고 삼전도의 굴욕이라는 역사상 가장 큰 치욕을 남겼음에도 5만이 머나먼 타국 땅으로 끌려 갔을 바에야 결사항전으로 맞서 모두가 조선의 혼을 살려냈어야 한다는 예조판서의 주장이 옳았을지도 모른다. 물론 명에 대한 충성심이 아니라는 전제하에.

우리 역사에서 임금도 한 번쯤은 전쟁터에서 민족의 자존으로 죽어갔다면, 임금이 나라님이란 그 허울을 손수 한 번쯤이라도 깨어버린 왕이 있었다면 오늘의 한민족역사는 달라졌을지도 모른다. 의주로 강화도로 러시아 공관으로 늘 제 한 목숨 구걸하듯 피신 다닌 조선 왕들의 역사에서 한줄기 쉼터 같은 긴 한숨 같은 임금의 백성을 향한 절개 말이다.

손녀딸 키워낼 할아비는 국익 혹은 종묘사직을 위해 희생시킬 수밖에 없지만, 그 손녀딸은 거두어 민들레 피는 봄날 연 날리러 가는 장면으로 영화는 마무리된다.

물론 김상헌이 자결한 것은 영화로서 각색된 내용이며 그와 최명길은 모두 청나라에 끌려갔고 후에 귀환했다.

영화의 시각처럼 백성이 피해자이고 권력자들이 가해자만은 아닌 것이 역사다. 둘은 공동운명체이며 때문에 그리 이분법적으로 나누는 것은 어쩌면 피해의식 속으로 숨는 도피적 시각일 수도 있다. 역사는 누구나 주인이어야 한다. 영화 남한산성은 영상물이 아니라 우리의 과거였고 그 안에 우리의 뿌리가 있음은 결코 영화를 보는 관객들을 편하게 놓아두지 않는다.

코스모스가 가을의 꽃인데도 나르시시즘이며 민들레가 봄꽃임에도 행복인 것은, 이 가을 다시 돌아봐야 할 지난봄의 기억이다. 우린 행복을 그리워하며 나르시시즘에 빠져있는 것은 아닌지, 민들레가 무성생식을 하는 특이한 꽃이듯 그렇게 홀로 견뎌내야 하는 것이 민족과 국가와 개인의 숙명이 아닌지.

여하튼 외면할 수 없는 역사 속에서 관객은 아름다운 꽃과 역사가 모두 현재의 것이라는, 그래서 사극은 가볍지만은 않다는 것을, 현실은 절대 가볍지 않다는 것을, 코스모스 핀 이 계절에 민들레를 그리며, 결국 자립의 역사는 주화론도 척화론도 아닌 힘만이 그 뿌리가 되었다는 것을 재음미해야 할 것 같다.

빗장 인문학

초판 1쇄 인쇄 2018년 12월 29일
초판 1쇄 발행 2018년 01월 08일
지은이 김용희

펴낸이 김양수
편집·디자인 이정은
교정교열 장하나

펴낸곳 도서출판 맑은샘
출판등록 제2012-000035
주소 경기도 고양시 일산서구 중앙로 1456(주엽동) 서현프라자 604호
전화 031) 906-5006
팩스 031) 906-5079
홈페이지 www.booksam.co.kr
블로그 http://blog.naver.com/okbook1234
페이스북 https://www.facebook.com/booksam.co.kr
이메일 okbook1234@naver.com

ISBN 979-11-5778-258-1 (03800)

* 이 책의 국립중앙도서관 출판시도서목록은 서지정보유통지원시스템 홈페이지(http://seoji.nl.go.kr)와 국가자료공동목록시스템(http://www.nl.go.kr/kolisnet)에서 이용하실 수 있습니다.
(CIP제어번호 : CIP2018000075)

* 파손된 책은 구입처에서 교환해 드립니다. * 책값은 뒤표지에 있습니다.